FY
STORI
FAWR

I Teilo a Llywelyn,
ac er cof am fy mam, Ethni

FY STORI FAWR

Profiadau dirdynnol 12 o newyddiadurwyr

Golygydd: Gwenfair Griffith

Gyda diolch i Caleb Swinney, Channel Four,
BBC Cymru, S4C a'r gohebwyr unigol am luniau.

Argraffiad cyntaf: 2023

Dymuna'r cyhoeddwyr gydnabod cymorth ariannol
Cyngor Llyfrau Cymru

Rhif Llyfr Rhyngwladol: 978 1 80099 378 5

Cyhoeddwyd, rhwymwyd ac argraffwyd yng Nghymru gan
Y Lolfa Cyf., Talybont, Ceredigion SY24 5HE
gwefan www.ylolfa.com
e-bost ylolfa@ylolfa.com
ffôn 01970 832 304

CYNNWYS

RHAGAIR

Gwenfair Griffith

Nid bod yn rhan o'r stori, ond dweud y stori yw uchelgais newyddiadurwyr.

Mae trosglwyddo stori ffeithiol i gynulleidfa yn grefft. Beth sy'n bwysig yw cyfleu'r ffeithiau yn gywir, yn gynhwysfawr, mewn modd dealladwy a digon difyr i'r gynulleidfa aros gyda chi tan ddiwedd yr adroddiad.

Dyw pwy y'ch chi, y gohebydd, ddim i fod yn bwysig.

Ond weithiau, daw gohebwyr ar draws stori sy'n effeithio arnyn nhw mewn modd sy'n golygu na allan nhw beidio â chyfleu'r emosiwn i'r gynulleidfa wrth drosglwyddo'u hadroddiad.

Ynghanol darllediad byw o ryw sgwâr mewn gwlad dramor, dyw teimladau newyddiadurwyr ddim mor berthnasol â theimladau'r miloedd o'u cwmpas sy'n byw yno ac yn cael eu heffeithio'n uniongyrchol gan y stori sy'n digwydd. Wrth saernïo rhaglen ddogfen am gyflafan ym mhen draw'r byd, efallai fod y gohebydd mewn sioc. Ond mae dweud beth sydd wedi digwydd i ddioddefwyr neu weithwyr dyngarol, neu ymateb yr awdurdodau a'r gymuned ryngwladol, yn llawer pwysicach.

Wedi i'r gohebydd gyrraedd adre a chysgu yn ei wely ei hun, weithiau, jyst weithiau, gall atgofion am beth ddigwyddodd redeg drwy'r ymennydd. Gall un cyfweliad gorddi'r stumog. Gall rhannu profiad dirdynnol â chyfrannydd fod yn brofiad i'r gohebydd hefyd, profiad sydd ddim cweit yn ei adael.

Fel arfer, dyw newyddiadurwyr ddim yn trafod eu teimladau eu hunain yn gyhoeddus. Maen nhw'n eu cadw'n breifat. Ond mae llawer mwy o ddealltwriaeth am effaith bosib gohebu erbyn hyn, a mwy o gymorth ar gael.

Yn y gyfrol hon mae rhai o ohebwyr gorau Cymru yn trafod straeon sydd wedi effeithio arnyn nhw – am ba reswm bynnag.

Yn aml, yn ystod gyrfa newyddiadurol mae un stori sy'n sefyll mas. Mae rhai gohebwyr, wrth gwrs, wedi adrodd ar sawl digwyddiad trawiadol. Ar gyfer cyfres radio *Fy Stori Fawr* ar BBC Radio Cymru, fe ofynnais i newyddiadurwyr rannu un stori oedd yn bwysig iddyn nhw. Roedd y canlyniad yn wefreiddiol, wrth i un gohebydd ar ôl y llall rannu ei grefft, ei brofiadau, ei ofnau a'i falchder gyda fi. Daeth ochr arall y gohebwyr i'r amlwg wrth iddyn nhw drafod y straeon mewn modd cwbl agored, ac weithiau ddatgelu profiadau nad oedden nhw wedi'u trafod yn gyhoeddus o'r blaen.

Felly, deunydd cyfweliadau sain yw sail pob un o'r penodau yma, a finnau wedi sgwennu geiriau'r gohebwyr ar gyfer y llyfr hwn. Rwy'n ddiolchgar iawn i bob un o'r newyddiadurwyr am rannu eu profiadau ar gyfer y gyfres radio i ddechrau, ac yn enwedig am roi ffydd yndda i wedyn i sgwennu eu straeon i'w cyhoeddi fel hyn.

Mae un gohebydd yn datgelu am y tro cyntaf ei fod yn dioddef o PTSD wedi cyfnod hir o ohebu o ryfel. Mae un arall yn sôn am yr atgofion, a'r arogl mae'n dal i'w wynto yn ei ffroenau ar ôl bod ynghanol angau adeg cyflafan. Nid dim ond profiadau sy'n peri trawma sydd yn y gyfrol. Mae 'na rai straeon sy'n uchafbwynt gyrfa – yn sgŵp aruthrol – sef uchelgais mawr i'r mwyafrif ohonon ni, hacs. Mae rhai straeon sy'n newid persbectif ac eraill yn llonni'r galon.

Dyna un o'r manteision pennaf o fod yn newyddiadurwr – fe ddewch chi ar draws pob math o bobl, pob math o stori fydd yn ennyn pob math o deimladau. Hyd yn oed teimladau na allwch chi eu datgelu wrth fod yn ohebydd diduedd, dibynadwy.

Mae 'na adegau lle mae cuddio tristwch yn anodd tu hwnt. Ym mis Ionawr 2023, roedd pryder ar draws Prydain wedi i stori dorri am blant oedd wedi syrthio drwy iâ ar lyn rhewllyd yn Solihull yn Lloegr. Joanna Gosling oedd yn darllen y newyddion ar sianel newyddion y BBC pan ddaeth diweddariad am y sefyllfa. Wrth weld bod dau frawd wedi colli eu bywydau, doedd hi ddim yn gallu dal ei dagrau'n ôl wrth wneud y cyhoeddiad. Fe ymddiheurodd ar yr awyr a dal ati gystal ag y gallai. Ymateb rhai o'r gwylwyr oedd ei beirniadu am fod yn amhroffesiynol. Ond wedi hynny, derbyniodd lu o negeseuon o gefnogaeth. Wrth ymateb ar wefan Twitter, fe bostiodd Joanna neges yn diolch i bobl, gan bwysleisio mai meddwl am deulu'r ddau roedd hi. "Roedden ni i gyd yn teimlo'r un peth," oedd ymateb un. "Mae'n profi mai pobl, ac nid peiriannau, ydy darlledwyr newyddion," meddai un arall.

A dyna'r gwir: waeth pa mor broffesiynol yw newyddiadurwr, ry'n ni i gyd yn bobl.

Ar ôl i ohebydd wneud adroddiad, mae'n symud mlaen i'r adroddiad nesaf. Mae 'na berygl y gall y stori fynd yn angof. Mae cynifer o newyddiadurwyr gwych gyda ni yng Nghymru fel bod dathlu eu gwaith a'u cyfraniad yn bwysig. A dyna'r nod gyda'r llyfr hwn: dathlu crefft newyddiadurwyr arbennig Cymru, codi'r llen ar y gwaith y tu ôl i'r adroddiad teledu, a'r effaith mae stori fawr yn gallu ei chael. Gobeithio y bydd yn ysbrydoliaeth i ohebwyr newydd yn y dyfodol.

Mae rhai o'r newyddiadurwyr yma wedi symud mlaen i swyddi eraill erbyn hyn – yn darlithio, neu'n gweithio ym myd cysylltiadau cyhoeddus. Mae eraill yn dal i dorri straeon newydd, yn dal i ohebu, ac efallai'n barod i drafod Stori Fawr arall cyn bo hir!

DIOLCHIADAU

Wrth gwrs, mae fy niolchiadau pennaf i'r gohebwyr sydd wedi rhoi ffydd yndda i wneud cyfiawnder â'u straeon. I Wyre, Betsan, Bethan, Guto, Sian a Gwyn o'r gyfres gyntaf, i Sion, Bethan, Aled, Max, Sian a Ciaran o'r ail gyfres – diolch, diolch, diolch. Fel newyddiadurwraig fy hun, rwy'n ei theimlo'n fraint bod gohebwyr rwy'n eu hedmygu gymaint wedi ymddiried yndda i. Rwy wedi mwynhau recordio'r sgyrsiau gyda nhw, wedi dysgu cymaint ac wedi mwynhau'r broses o sgwennu eu straeon hefyd. Rwy mor ddiolchgar iddyn nhw am eu rhannu.

Diolch hefyd i Rhuanedd Richards o BBC Cymru, fu mor gefnogol i'r syniad o'r dechrau. Diolch enfawr i gomisiynwyr BBC Radio Cymru am gomisiynu'r cyfresi. Diolch anferth i Sarah Down-Roberts a John Roberts am gynnig yn syth i mi eu cynhyrchu drwy eu cwmni nhw, Tonnau. Mae cyngor John wedi bod yn hynod o werthfawr ac mae cydweithio gyda fe ers i fi fynd yn llawrydd wedi bod yn bleser ac yn fraint. Diolch i Meinir Wyn Edwards am weld potensial y llyfr ac am y gwaith golygu, a diolch yn fawr i Sion Ilar am y clawr.

Diolch enfawr i fy narlithwyr newyddiaduraeth ym

11

mhrifysgol Ryerson am fy nghyflwyno i lenyddiaeth gan newyddiadurwyr ac agor fy llygaid i'w profiadau.

Diolch i fy rhieni am feithrin fy niddordeb mewn newyddiaduraeth a chefnogi fy ngyrfa bob amser. Diolch yn enwedig i fy mam am estyn llyfr Fergal Keane i fi, ac i 'Nhad am adael i fi ddwyn y cylchgronau o'i bapurau Sul, wnaeth fy ysbrydoli i sgwennu.

Diolch enfawr hefyd i Hywel, Teilo a Llywelyn am eu hamynedd wrth i fi weithio'n hwyr y nos ar y pecynnau radio, ac eto wrth sgwennu'r llyfr. Heb eich amynedd chi, faswn i ddim wedi llwyddo i gwblhau'r dasg.

I Hywel yn arbennig am ei holl anogaeth ac am gael ffydd yndda i o'r dechrau. Diolch o galon.

Gwenfair Griffith

ALED HUW

Y lle gwaethaf i fi fod

"Mae'n anodd dychmygu y gallai'r ffoaduriaid fod wedi dewis unman gwaeth i ddianc iddo fe."

Goma

Awst 1994

Pan mae pobl yn fy holi i mewn digwyddiadau neu pan dwi'n siarad yn gyhoeddus am fy ngyrfa, mae'r cwestiwn wastad yn codi, "Ble yw'r lle gwaethaf chi wedi bod?" Ond does dim rhaid i fi feddwl am un rhan o eiliad. Mae wastad yn dod 'nôl i Goma.

Dwi wedi bod i ryfeloedd yr hen Iwgoslafia, gyda lluoedd NATO yn Kosovo. Weles i erchylltra fan'na. Yn ystod Hurricane Katrina, weles i ddiymadferthedd a chasineb fan'na. Dwi wedi bod yn Kuwait a llefydd lletchwith eraill, ac eto i gyd Goma, i fi, oedd y profiad mwyaf dirdynnol sy'n sefyll gyda fi.

Gallech chi ddadlau mai'r rheswm yn rhannol am hyn yw am mai dyma oedd y profiad cyntaf o'i fath. Ond y gwirionedd yw: pan chi'n gweld hil-laddiad a chasineb dynoliaeth ar y raddfa yna, does dim ots lle mae e, na phwy sy'n gyfrifol amdano fe. Mae'n tanlinellu i chi pa mor gas mae dyn yn gallu bod tuag at ei gyd-ddyn, ac mae hwnna'n aros gyda chi.

Mis Awst 1994 oedd hi ac roedd rhyfel cartref yn Rwanda ers canol mis Ebrill. Ac yn sydyn reit na'th y gymuned ryngwladol sylweddoli nid yn unig bod 'na hil-laddiad yn digwydd ond bod ton o ddynoliaeth yn arllwys dros y ffiniau i mewn i'r gwledydd cyfagos, fel Tanzania, Uganda a Burundi, ond yn bennaf i Zaire. Roedd y gwledydd hynny dan straen aruthrol, ac roedd angen ymdrech ddyngarol ryngwladol anferthol i ymdopi â'r sefyllfa.

Ro'n i'n 26 oed ac yn gweithio fel gohebydd i'r BBC yn Llundain ar y pryd, yn Television Centre. Ro'n i wedi gwneud peth gohebu tramor, ond dim byd fyddai'n fy mharatoi i am beth oedd o 'mlaen i yn Goma.

Ar gais elusennau y ces i a chriw bach o newyddiadurwyr eraill fynd i'r ffin ogleddol â Rwanda. Aethon ni gyda'r bwriad o ddarlunio'r sefyllfa erchyll yr oedd eu staff nhw'n gweithio ynddi wrth geisio dod â chymorth i'r miliynau o bobl 'ma.

Fe gydweithion ni yn benodol gydag elusen Oxfam ac, i raddfa lai, gyda Médecins Sans Frontières. Roedd 'na awyren yn mynd o faes awyr Caerdydd gyda phob math o ddillad ac offer oedd wedi cael eu crynhoi gan bobl oedd wedi'u rhoi yng Nghymru. Ac mi hedfanon ni mas.

Penderfyniad *ad hoc* oedd e i fi fynd mas i ohebu i wersyll ffoaduriaid Goma.

Erbyn hyn, mae'r BBC a phob math o asiantaethau mawr eraill yn cynnal cyrsiau penodol i'ch hyfforddi er mwyn eich helpu i ymdopi yn y math yna o awyrgylch. Ond doedd y cyrsiau yma ddim ar gael ar y pryd. Roedd rhaid i rywun ddysgu yn llythrennol drwy fod yna.

Synnwyr cyffredin oedd peth ohono, ac roedd natur ddynol yn elfen hefyd. A greddf yn hynod o bwysig yn ogystal.

Roedd Guto Orwig, y dyn camera, a finnau wedi cydweithio'n agos mewn sawl lleoliad arall ar hyd y blynyddoedd ac yn nabod ein gilydd yn dda. Ro'n ni'n eitha cyffyrddus mewn sefyllfaoedd anodd yng nghwmni ein gilydd, ac mae hynny'n rhywbeth pwysig achos mae rhaid i chi gael y ddealltwriaeth yna. Felly, ro'n i'n gofalu am Guto ac roedd Guto yn gofalu amdana i.

Roedd y daith mas yn eithaf hwylus – hedfan i Nairobi yn Kenya yn gyntaf. Wedyn, roedd rhaid i ni ddisgwyl am gyfle i hedfan gyda'r elusennau. Hedfanon ni i mewn i Goma ei hunan ar awyren *Hercules C1-30 Transporter*. Dyma'r awyren mae byddinoedd ar draws y byd yn ei defnyddio ar gyfer cludo offer o bob math. Mae'n cario ugain tunnell yng nghrombil yr awyren. A dyna ble o'n i a'r dyn camera, Guto, yn eistedd yn yr howld.

Dim ond rhyw dair sêt fach oedd yna, ac roedd y drws

anferth lle mae *paratroopers* yn neidio mas yn gorfod bod ar agor. Oddi tanom o'n i'n gweld y safana wrth hedfan ar draws canol Affrica.

Bob tro roedd yr awyren yn symud, yn bancio i un ochr, roedd yr ugain tunnell o bibau dŵr yn symud ar draws canol yr awyren. Felly roedd yna elfen o fedydd tân.

Glanion ni yng nghanol Goma, a gweld yr ymdrech ddyngarol aruthrol yno. Roedd byddinoedd y byd yno'n barod – America yn bennaf, a Rwsia hefyd yn y dyddiau hynny. Ro'n nhw i gyd yn ymdrechu'n galed i gael rhyw fath o strwythur i'r miliwn a hanner o bobl oedd wedi arllwys dros y ffin o Rwanda.

Zaire oedd enw'r wlad bryd hynny – Gweriniaeth Ddemocrataidd y Congo bellach.

Tu fewn i'r maes awyr roedd hi'n gymharol drefnus oherwydd roedd 'na fwyd, a dŵr glân i'w yfed. Ond yr eiliad o'ch chi'n gadael y maes awyr, roedd hi fel fflicio switsh. Yn sydyn reit, roeddech chi mewn uffern – yn llythrennol mewn uffern.

Roedd y gwersyll wedi'i sefydlu wrth odre llosgfynydd Mikeno. Mae'n un o wyth llosgfynydd adnabyddus yn yr ardal hon. Mae'r ddaear folcanig yma'n galed ac yn ddu. Allwch chi ddim plannu cnydau, allwch chi ddim claddu'r meirw, allwch chi ddim gwneud unrhyw beth oherwydd mae'r ddaear mor galed.

Os y'ch chi wedi gwylio'r ffilm *Gorillas in the Mist* gyda

Sigourney Weaver, mae 'na ddelweddau bendigedig o'r jwngl. Nawr, arllwyswch filiwn a hanner o bobl yna dros nos, lle nad oes bwyd, na dŵr glân. Wedyn, ychwanegwch hunllef colera a dysentri… Roedd 'na fudreddi carthion ym mhobman, a phobl yn plygu ar eu pengliniau ac yn arllwys eu tu fewn mas o'ch blaenau chi drwyddi draw, oherwydd doedd ganddyn nhw ddim dewis.

Y llyn agosa yw llyn Kivu, rhyw ddeg milltir bant, lle mae 'na filoedd o gyrff yn arnofio ers y rhyfel cartref. Arllwyswch at hynny gasineb dynoliaeth, a dyna roi syniad i chi o'r awyrgylch.

Ynghanol hyn i gyd, fy nhasg i oedd paratoi eitemau ar gyfer rhaglenni newyddion S4C a *Wales Today*, a hefyd ar gyfer cwpwl o raglenni yn Llundain – a dyna 'nes i.

Mynd yna i dystio i'r hyn oedd yn digwydd: tystio i'r ymdrech ddyngarol, tystio i'r erchylltra, tystio i'r casineb, dyna beth o'n i i fod i'w wneud.

Roedd casineb yr hil-laddiad yn Rwanda wedi arllwys dros y ffin. Roedd y sefyllfa'n gymhleth iawn oherwydd, mewn gwirionedd, roedd hi'n mynd 'nôl ddegawdau i gyfnod trefedigaethol Affrica. Roedd y gwahaniaethau rhwng llwythau Rwanda wedi esblygu yn sgil ymyrraeth y Gorllewin, a Gwlad Belg yn benodol yn achos Rwanda. Ar lefel syml, roedd llwyth yr Hwtw yn y mwyafrif, ond llwyth y Twtsi oedd yn rheoli, ac yn defnyddio'r pŵer hwnnw i wasgu'r Hwtw.

Roedd llwythau'r Hwtw a'r Twtsi wedi gwrthdaro o fewn ffiniau'r wlad, ond roedd y casineb yna wedi arllwys mas ac wedi teithio gyda nhw. Roedd yr Hwtw, oedd yn gyfrifol am yr hil-laddiad, yn cuddio yn y gwersylloedd ffoaduriaid ac yn ymosod ar bobl. Dyna'n union beth ddigwyddodd yn y dyddiau yn syth ar ôl i ni adael. Penderfynodd nifer o'r elusennau nad oedd hi'n ddiogel nac yn ymarferol iddyn nhw barhau i weithio yno. Fe adawodd Médecins Sans Frontières o fewn diwrnodau i ni adael, oherwydd eu bod wedi penderfynu na allen nhw ofyn i'w staff barhau i weithio yna.

O gofio'r amodau, oedd mor echrydus, dwi ddim yn eu beio nhw, yn enwedig o ystyried nad oedd hi'n ddiogel i gysgu yna. Roedd gyda ni babell os oedd ei hangen, ond ro'n ni'n aros mewn adeilad o floc concrit, ac yn cysgu ar lawr gyda rhyw hanner dwsin o newyddiadurwyr eraill. Roedd y llety yng nghanol tre Goma, felly roedd rhaid i ni deithio i'r gwersyll ffoaduriaid ac yna teithio'n ôl.

Do'n i ddim yn sylweddoli pa mor sydyn roedd hi'n nosi yna, ac un noson fe yrron ni'n ôl yn y cyfnos. Ro'n ni'n trio gyrru'n ddiogel i ganol Goma a bob hyn a hyn roedd 'na *roadblock* oedd yn cael ei reoli gan filwyr Zaire. Y peth yw – ro'n nhw'n *trigger happy* iawn, iawn, iawn.

Dyna ble o'n ni, yn gyrru'r fan fach yma drwy'r *roadblock* a finnau'n gorfodi'r gyrrwr i yrru a pheidio aros. O'n i'n gwybod, pe baen ni'n aros, fe fyddai'r milwyr wedi dwyn popeth oedd gyda ni, boed yn fwyd, yn ddiod, hyd yn oed yr offer. Oherwydd roedd 'na ryw ffordd o allu eu gwerthu nhw i gael rhywfaint o fwyd iddyn nhw eu hunain. Wrth i ni yrru drwy'r *roadblock*, roedd e fel golygfa o ffilm gowboi: y milwyr yn troi ac yn anelu eu gynnau aton ni, ac am ryw reswm ddim yn tanio. Duw a ŵyr pam.

Ar noson arall, na'th criw o bobl ymosod ar y tŷ, a chafodd dyn ei saethu ar drothwy'r drws. Fe benderfynon ni adael y diwrnod wedyn.

Roedd e'n frawychus; dim ond 26 oed o'n i. Falle achos 'mod i'n ifanc ac yn ffôl, falle achos do'n i ddim yn sylweddoli'r perygl, o'n i'n meddwl nad oedd y perygl rywsut yn mynd i 'nhargedu fi… mewn rhyw naïfrwydd ffôl.

Dwi'n credu taw dyna mae ymweld â'r llefydd yma'n ei ddysgu i chi: mae 'na elfen o lwc yn perthyn i fynd a dod yn ddiogel.

Dwi wedi gweithio gyda nifer o bobl sydd ddim wedi bod mor ffodus â gadael llefydd fel hyn. Ry'ch chi'n sylweddoli wedyn, be' bynnag wnewch chi, pa mor drwyadl bynnag yw'r trefniadau, pa mor ofalus bynnag y'ch chi, mae 'na elfen o risg.

Tra o'n i yna, o'n i'n teimlo'n hynod o ddiymadferth. Pan y'ch chi'n mynd i rywle fel'na, chi'n mynd â rhywfaint o offer meddygol gyda chi. Ac roedd gyda fi fwy o offer yn y sach ar fy nghefn i nag oedd gan ysbyty Médecins

Sans Frontières yn y maes. Ac mae hynny'n bychanu dyn. Ry'ch chi'n gweld yr ymdrechion aruthrol yma mae'r meddygon yn eu gwneud, a chi'n meddwl pa bwrpas sydd i newyddiadurwr fan hyn, jyst i arsylwi.

Fe wnes i ddarn i gamera yn union ar ôl dod mas o'r ysbyty ond wnes i bron ddim ei gynnwys yn y darn. O'n i newydd weld yr uffern o dan y pebyll gwyn oedd yn yr ysbyty – y diffyg adnoddau, pobl yn marw blith draphlith, a meddygon Médecins Sans Frontières yn trio'u gorau glas i helpu'r bobl. Ro'n nhw'n gwybod bod nifer yn cyrraedd yn llawer rhy hwyr a bod dim gobaith. Roedd nifer yn blant bach. Ro'n nhw'n marw oherwydd colera a dysentri neu rywbeth mor syml â dim digon o ddŵr.

Buodd dau blentyn farw wrth i ni drio ffilmio yn yr ysbyty, a des i mas a thrio cyfleu'r erchyllta mewn darn i gamera yn sydyn: "Mae bron yn amhosib cyfleu'r drewdod a'r dioddefaint yn yr ysbyty yma, a gyda thymor y glaw wedi dod yn gynnar, mae'r sefyllfa yn mynd o ddrwg i waeth. Does dim parch i'r meirw nac i'r byw yma. Os oes 'na un man ar y cyfandir hwn sy'n dod yn agos i uffern ar y ddaear, yna Goma yw hwnnw."

O'n i dan deimlad, a dwi'n cofio pwyso a mesur gyda Guto a ddylen ni gynnwys y darn i gamera ar ddiwedd yr eitem, oherwydd o'n i'n teimlo 'mod i wedi rhannu fy mhersonoliaeth, rhywbeth do'n i ddim yn awyddus i neud.

'Nes i recordio darn i gamera yn syth wedyn, 30 eiliad yn ddiweddarach, heb yr emosiwn yna. Ond fe bwysleisiodd Guto y dylen ni gynnwys y gwreiddiol – a falle mai dyna beth oedd y peth cywir i neud.

O ran yr arogl, dyw dyn ddim yn gallu cyfleu hwnna ar sgrin.

Dwi'n cofio hedfan 'nôl i Nairobi, cyrraedd y gwesty, a sefyll yn y gawod am 20 munud yn trio cael gwared â'r arogl o'n ffroenau. Hyd yn oed nawr, bron i 30 mlynedd wedyn, alla i gau'n llygaid a dal i arogli'r arogl yna. Mae'n gyfuniad o farwolaeth, bryntni, a drewdod dynoliaeth.

Unwaith chi'n ei arogli e, mae'n aros gyda chi am oes.

Ond mae pethe pwysig eraill wedi sefyll yn fy nghof i. Ro'n ni'n cerdded yn ffilmio'r plant bach 'ma. Do'n i ddim yn gwybod oedd gyda nhw deuluoedd, neu o'n nhw'n amddifad, achos roedd degau o blant amddifad yna. Ond eu dyletswydd nhw oedd cario unrhyw lestr – hen danc petrol neu beth bynnag oedd gyda nhw – i lyn Kivu i lenwi'r peth 'ma â dŵr ac wedyn cerdded 'nôl.

Roedd yn rhyw 20 milltir o lwybr, felly roedd y plant bach 'ma'n cerdded drwy'r dydd. A bob hyn a hyn, ro'n nhw'n gorfod eistedd er mwyn atgyfnerthu. Do'ch chi ddim yn gwybod a fydden nhw fyth yn codi achos roedd rhai yn marw ar ochr y stryd.

Fel tad, mae hwnna wedi aros gyda fi. Do'n i ddim yn dad ar y pryd ond pan ry'ch chi'n gweld eich plant eich hunan yn yr oedran yna, mae'n cael effaith arnoch chi…

Ac wedyn, dwi'n cofio hedfan mas o'r maes awyr, ac wedi gorfod aros i gael awyren. Yn y diwedd, daeth un awyrlu Gwlad Belg, ac o'n i'n eistedd y tro hyn y tu ôl i'r *cockpit*, y tu ôl i'r ddau beilot hynod brofiadol yma – o'n nhw siŵr o fod yn eu chwedegau bryd hynny. Ac o'n nhw wedi bod yn bwyta *takeaways*, a'r olion dros yr awyren i gyd. Wrth i fi eistedd y tu ôl i'r ddau ac edrych naill ochr yn y gwyll, dyna ble roedd pobl y gwersylloedd yn rhedeg ar draws y llain lanio. Roedd yr awyren wedi hedfan i mewn yn cario reis, ac roedd ychydig bach wedi dod mas o'r sachau, ac yn arllwys o grombil yr awyren o hyd. A dyna ble o'n nhw, yn risgio'u bywydau yn rhedeg ar draws y llain er mwyn hôl dyrned o reis.

Alla i ddim dioddef gwastraffu bwyd, hyd yn oed nawr…

Fe ddigwyddodd rhywbeth arall mas 'na naethon ni ddim llwyddo i'w gynnwys yn yr adroddiadau. Roedd cerbyd wedi dod yno – rhyw lorri yn llawn india-corn. Ac fe welodd y bobl yr india-corn 'ma'n cyrraedd ac yn llythrennol, o fewn eiliadau, roedd miloedd o bobl yn anelu am y lorri, yn ei rhwystro rhag mynd mlaen i'r gwersyll ac yn ymosod arni. O fewn eiliadau ro'n nhw wedi bwyta'r holl india-corn oedd yn y cefn, ac o fewn munudau yn bwyta'r dail, yna'r coesyn. A phan adawon ni, oherwydd bod pethau'n mynd yn flêr, roedden nhw'n dechrau bwyta'r gwreiddiau a'r pridd oedd ar waelod y lorri. Ac fe safith hwnna gyda fi hefyd.

Dwi ddim yn meddwl bod fy nghyd-weithwyr na fy ngolygyddion wedi sylweddoli'r amgylchiadau o'n ni'n gweithio ynddyn nhw nes ein bod ni wedi dod 'nôl gartref i Gaerdydd. Dwi'n credu, pan welon nhw'r eitem, naethon nhw sylweddoli'r uffern oedd y lleoliad a pha mor anodd oedd gweithio yna. Roedd 'na ddealltwriaeth lwyr wedyn. Ond, a bod yn deg iddyn nhw, pwy fyddai wedi meddwl bod y lle cynddrwg, oherwydd heb fod yna, heb arogli'r lle, heb brofi'r lle, does ganddoch chi ddim amgyffred.

Mae'r eitem wedi dyddio erbyn hyn, a dwi'n edrych 'nôl, dri deg mlynedd mlaen, a meddwl gallen i fod wedi neud job well. Ond dwi'n falch o fod wedi crynhoi uffern y lle a'r perygl amlwg, wedi llwyddo i fynd yno, adrodd y stori a dod 'nôl – ac mae hynny'n llwyddiant, dwi'n credu.

Roedd un o bob deg yn y gwersyll yn marw pan o'n i yna, ac wedi cyrraedd uchafbwynt wedyn o saith mil o bobl mewn un diwrnod ar un adeg. Ar ôl gweld adroddiadau newyddion rhyngwladol am dranc y ffoaduriaid, na'th Arlywydd America ar y pryd, Bill Clinton, ei ddisgrifio fel 'yr argyfwng dyngarol gwaethaf yn y byd ers cenhedlaeth'.

Ar ôl i ni ddod 'nôl a darlledu'r eitem, fe chwyddodd y rhoddion i Oxfam a Médecins Sans Frontières. Ac am flynyddoedd wedyn, lle bynnag o'n i'n mynd, roedd pobl

23

wedi gweld yr eitemau ac yn sôn amdanyn nhw. Mae hynny wedi para tan heddi ac yn rhywbeth hyfryd mewn ffordd ryfedd.

Ro'n i'n teimlo, rywsut, mewn ffordd fechan iawn, iawn, fod 'na elfen o gefnogaeth wedi bod, a bod yr hyn ro'n i wedi'i neud yno wedi neud gwahaniaeth.

BETSAN POWYS

Darlledu yn Gymraeg yn sicrhau sgŵp

"I ddweud y gwir, tydw i ddim yn meddwl dylen ni fod yma. Tydi o ddim yn rhyfel i ni."

'Bosnia'

Y Byd ar Bedwar

5 Mehefin 1995

"Noswaith dda i chi. 33 o'r ffiwsilwyr Cymreig yn cael eu cipio gan y Serbiaid yn Bosnia, 11 yn cael eu rhyddhau dros y Sul, 22 yn gaeth o hyd. Dyna'r sefyllfa erbyn heno wedi wythnos o ofid i deuluoedd a pherthnasau yng Nghymru…"

Prin 'mod i'n gallu clywed llais Tweli Griffiths yn fy nghlust wrth i fi sefyll o flaen camera yn Split, Croatia. Roedd e'n darlledu o ganolfan ITV yng Nghroes Cwrlwys yng Nghaerdydd.

Ro'n i'n barod i ddarlledu'n fyw ar ôl fy nhaith ddiweddara i'r linell flaen yn y rhyfel yn Bosnia.

Mehefin 1995 oedd hi. Roedd 33 o ffiwsilwyr Cymreig wedi cael eu cipio yn Goražde, ac ro'n i wedi mynd i ffeindio gweddill y gatrawd ynghanol mynyddoedd anghysbell canolbarth Bosnia.

Roedd y trip yma'n un arbennig, achos ro'n i wedi teithio i Bosnia sawl gwaith gyda'r BBC o'r blaen. Wrth gwrs, beth sydd gan y BBC yw rhwydwaith o drefnyddion, o ohebwyr o un pen o'r byd i'r llall. Ond y tro hwn ro'n i wedi symud i'r rhaglen *Byd ar Bedwar*, HTV Cymru (cyn iddo droi'n ITV) – ac ro'n i ar ben fy hun.

Ar ben hynny, hwn oedd y tro cyntaf roedd y stori wedi dod yn un wirioneddol Gymreig, a Chymraeg.

Roedd Bosnia wedi bod yn y cefndir am flynyddoedd, ond yn sydyn reit roedd yna luniau o fechgyn ifanc o Gymru mewn ysbyty gweddol dlawd yr olwg, efo'u breichiau wedi torri, eu coesau wedi torri a llygaid duon.

Roedden ni i gyd wedi cael gwbod eu bod nhw'n 'cadw'r heddwch', ond doedd hyn ddim yn edrych yn heddychlon iawn. Gynted ag y gwelais i nhw, ro'n i'n gwbod y byddai siaradwyr Cymraeg yn eu plith. Ro'n i'n gallu dychmygu lle o'n nhw ac ro'n i jyst eisiau mynd i'w ffeindio nhw a dilyn y trywydd.

Roedd herwgipiad y bechgyn yn y penawdau ym Mhrydain a rownd y byd. Yn Bugojno, o'n i'n gwbod byddai 'na frodyr, ffrindie agos, hanner arall y gatrawd i bob pwrpas. Ro'n i'n gwbod 'mod i ar ben fy hun tro 'ma, ond ro'n i jyst yn teimlo – dere, ti 'di neud hyn o'r blaen, ti wedi llwyddo, mae rhaid i ti nawr fod yn ddewr a ffeindio'r bois 'ma.

Wedi i fi gyrraedd Split, roedd rhaid ffeindio dyn camera. Bob tro arall, ro'n i wedi cael help gan un o drefnyddion y BBC, Vera. Roedd hi a fi wedi dod yn dipyn o ffrindie. Roedd hi wastad yn dweud, "A! Mae'r Gymraes 'nôl!"

Beth oedd hi'n arfer dweud wrtha i oedd, "I fi, ti'n gweld, y Serbiaid yw'r Saeson, nhw sy *in control*. Y Croatiaid – dyna'r Albanwyr. Pwy sy ar waelod y peil? Ie, chi'r Cymry! Chi fatha'r Mwslemiaid." Dwi ddim yn gwbod a oedd hi'n iawn ond roedd rhyw deimlad felly ei bod hi'n barod i helpu. Ond y tro hwn, ro'n i ar ben fy hunan.

Yn Split roedd nifer o fechgyn ifanc – lot fawr o Awstralia – oedd wedi prynu'r offer ac eisiau neud enw iddyn nhw'u hunain fel pobl camera rhyfel. Bois yn chwilio am antur o'n nhw, ond yn chwilio am waith hefyd.

Os oeddet ti'n mynd i'r caffi iawn, neu i'r man iawn, a dweud, "Mae rhywun isie mynd i Bugojno. Bydd e'n siŵr o gymryd pump diwrnod. Pwy sydd ar gael i weithio?", bydde siawns o ffeindio rhywun fasai'n barod i ddod. Cwrddes i â boi o Awstralia ac ar ôl lot o jôcs am New South Wales ac yn y blaen, des i'w nabod e a meddwl – ie, alla i weithio 'da'r boi 'ma. James oedd ei enw fe.

Ffeindion ni gar i'w hurio drwy 'bach o help gan bobl ro'n i wedi cwrdd â nhw yn y gorffennol, a James na'th lot o'r gyrru. Ti'n gwbod be? Mae dau beth dwi'n cofio jyst o'r gyrru, heb sôn am y cyrraedd. Roedd map 'da ni, ond ro'n ni'n gwbod nad oedd y wlad yn edrych fel y map bellach. Oedd 'na hewlydd lle ro'n nhw i fod? Oedd 'na bentrefi lle maen nhw i fod?

Ro'n ni wedi cael y newyddion yn y ganolfan newyddiadurol am y *checkpoints* bydden ni'n dod ar eu traws nhw. Dwi'n eu galw nhw'n *checkpoints*, ond beth o'n nhw oedd jyst bois efo cwpwl o ynnau, a rhyw fwrdd oedd yn edrych fel petai wedi dod o gegin rhywun, cwpwl o gadeiriau, gyda rhyw raff fan hyn a fan draw. Wrth gwrs, nid *checkpoint* go iawn oedd e, ond roedd e'n fwy peryglus oherwydd roedd y fath ansicrwydd: pwy sy 'na heddi? Pa fath o hwyliau sydd arnyn nhw? O'n nhw i gyd yn yfed? Ro'n nhw'n tueddu i yfed tan yr oriau mân.

Roedd hi'n fis Rhagfyr pan es i yno am y tro cyntaf; o leiaf roedd hi'n fis Mehefin y tro 'ma.

Y peth arall dwi'n ei gofio yw gorfod cael pasys er mwyn teithio. Darnau bach o bapur o'n nhw, ond roedd rhaid cael stamp. Nid yn unig stamp gan fyddin Bosnia, ond stamp gan y Cenhedloedd Unedig, ac os o't ti'n mynd yn agos at diriogaeth Croatia, cael stamp un Croatia… O'n ni angen yr holl stamps cyn gadael. Roedd fy un i'n dweud, 'Betsan Pwys, HTV Cymru'. Doedd dim ots am y sillafiad, roedd fy llun i'n iawn. Llun dychrynllyd, ond bant â ni!

Ar y daith, dyma ni'n cyrraedd *checkpoint* a dangos y pàs, a James y dyn camera yn dechrau siarad yn gyflym,

gyflym. Dechreuodd e siarad am Awstralia, New South Wales, a dyma fe'n dweud, "Wales, Wales, she's Wales, Wales television". Roedd e'n foi hynod o ddeallus. Galle fe fod yn newyddiadurwr ei hunan. Fe ddwedodd e wrtha i wedyn, "As you passed it before my face I saw HTV." Y peth yw: Croatia yw Hvratska yn yr iaith leol – HTV. Gallen i fod wedi bod yn gohebu ar ran Croatia, a Mwslemiaid oedd y rhein a finne wedi dangos hwn. Felly, dyna pam roedd e'n siarad, siarad, siarad. Roedd e'n meddwl: y mwya bydda i'n dal sylw'r milwr 'ma, bydd e'n edrych arna i yn lle ar y pàs, a'n saethu ni yn y fan a'r lle! Achos, roedd hynny yn gwbl bosib. Yn lwcus, na'th e lwyddo i'w ddarbwyllo nhw.

Gadawon nhw i ni deithio mlaen, a rhyw ddwy filltir i lawr y ffordd, dyma ni'n troi at ein gilydd a dweud, "O, galle hwnna fod wedi mynd y ffordd rong!" Wedi hynny, cytunon ni y bydde James yn dangos ei bàs e gynta, a fy un i wedyn, os oedd rhaid.

Roedd golwg ddychrynllyd ar Bosnia erbyn hyn. Roedd e'n edrych fel o'n i wedi dychmygu y bydde pethau'n edrych ar ôl y Rhyfel Byd Cyntaf. Roedd mwd, a glaw, ac arwyddion ffordd wedi diflannu, wedi'u saethu. O't ti'n gorfod dyfalu bron i ble o't ti'n mynd. Dalion ni mlaen i yrru, ac o'r diwedd, cyrraedd Bugojno.

Doedd dim syniad 'da fi ble roedd y gatrawd cyn gadael, ond fe ffeindion ni nhw mewn hen ffatri sgidie. Ro'n nhw wedi bod mas yn y llanast 'ma ers tri mis, yn cysgu mewn gwelyau syml mewn rhesi wrth ochr ei gilydd, ger pentref oedd yn llawn o blant amddifad.

'Cadw'r heddwch' – dyna oedd y geiriau mawr yn y newyddion oedd yn disgrifio'r hyn roedden nhw'n ei wneud. Mae geirfa'n datblygu gydag unrhyw ryfel. Yn yr un yma, *skirmishes, peace-keeping, intractable…* Ond beth oedd hynny wir yn ei olygu?

Ro'n ni wedi gyrru yr holl ffordd o Split, drwy'r *checkpoints,* heb arwyddion i arwain y ffordd. Ro'n i'n benderfynol o gael cyfweliadau yn Gymraeg gyda'r milwyr 'ma. Fyddai dim ond lluniau o bell ddim yn gwneud y tro.

Gyrhaeddes i, a beth oedd yn digwydd y diwrnod hwnnw oedd gêm rygbi Cymru yn erbyn Iwerddon yng Nghwpan y Byd yn Ne Affrica. Fe ofynnes am gael siarad â swyddog, ac ymateb cynta'r Commanding Officers oedd dweud, "Na, wrth gwrs allwch chi ddim siarad â nhw." Roedd 'na sensitifrwydd mawr ynghylch beth fyddai'r milwyr yn ei ddweud. Roedd pryder mawr beth tasai'r Serbiaid yn clywed. Yn sicr, roedd pawb yn gwrando ar ei gilydd. Roedd pawb yn gwbod beth oedd yn cael ei ddweud gan bawb arall.

Felly dyma fi'n dweud, "Wel, dwi'n neud hwn yn Gymraeg. Cyfraniad i raglen Gymraeg yw e." Dyma'r swyddog yn ateb a dweud, "Oh, are you saying it will be in the Celtic tongue?" Naw gwaith allan o ddeg basen i wedi wfftio a dweud, "No, it's in Welsh!" Ond dyma'r un tro allan o ddeg lle roedd hi'n ddefnyddiol i fi ei fod e'n anghyfarwydd â'r Gymraeg.

Fe welais i'r swyddog yn ystyried. Ro'n i'n gallu gweld yn ei lygaid ei fod e'n meddwl y galle'r milwyr fwynhau siarad. Roedd eu cyfeillion wedi cael eu cipio; roedden nhw wedi byw ynghanol diflastod ers misoedd; roedd morâl yn isel, a fyddai'r Serbiaid byth yn dod ar draws rhaglen yn yr iaith od 'ma. Ro'n i'n ei weld e'n pwyso a mesur, a meddwl, ocê, falle, er mwyn morâl... Y ferch 'ma wedi troi lan ar ddiwrnod glawog, gyda dyn camera o Awstralia a phenderfynodd e, "Go on 'te!"

A'r peth nesaf, fe gynigiwyd rhyw chwech neu saith o fois. "Llaw lan, pwy sy isie siarad?"

Dwi'n meddwl ei fod e'n anhygoel.

Dwi'n cofio'r bachgen cynta i siarad. 'Nes i ofyn iddo fe, "Ydych chi'n teimlo, fel criw, y dylech chi fod 'ma?" Na'th e sbio arna i, a throi at y Major oedd yn dod gyda fi i bob man a dweud, "Permission to speak openly, sir?" Dywedodd e, "Yes." A dyma'r bachgen yn troi ata i a dweud, "Nac ydw, tydw i ddim yn meddwl y dylian ni fod yma."

Ar y pryd, ro'n i ffaelu cweit dod dros y ffaith bod y milwyr 'ma o Gymru wedi cael siarad mor blaen. Roedd brodyr a ffrindiau'r bechgyn yma ymhlith y rhai oedd wedi'u cipio yn Goražde, felly yn amlwg roedd y teimladau yn gryfion.

Waw, ro'n i'n meddwl. Nid yn unig 'mod i wedi ffeindio'r bois 'ma, 'mod i wedi llwyddo i gael cyfweliad, ond dyma fachgen o Ddyffryn Nantlle, dwi'n credu, yn dweud ddylen nhw ddim bod yma.

Roedd e'n siarad â fi mor ddidwyll a do'n i ddim yn gallu peidio meddwl 'mod i'n deall yn iawn y fath lanast roedden nhw yn ei ganol yn Bosnia. Roedd y gymuned ryngwladol wedi cydnabod ei bod hi'n llanast, llanast na chafodd ei ddatrys am flynyddoedd wedi hynny.

"Dwi'm yn meddwl dylen ni fod yma," dywedodd ffiwsiliwr arall. "Ond ar ôl deud hynny, 'lly, 'se lot o bobl wedi cael eu lladd heblaw bo' ni yma."

A dyna'r peth.

Y rheswm swyddogol pam fod ffiwsilwyr o Gymru yn Bugojno oedd er mwyn cefnogi byddin Bosnia, sef y Mwslemiaid, yn erbyn byddin Croatia a byddin y Serbiaid. Roedd byddin Serbia wedi'u harfogi'n gryfach ac roedden nhw'n fwy trefnus.

Felly, yr hyn roedd y ffiwsilwyr yn ei wneud mewn gwirionedd oedd 'holding the line'.

Fe ddes i ddeall, pe na bai ffrindiau a brodyr y rhein wedi llwyddo i ddal y llinell yn Goražde cyn cael eu herwgipio, yna pwy a ŵyr na fyddai Goražde wedi dod yr un mor enwog â Srebrenica. Dyna lle llwyddodd y Serbiaid i dorri drwodd a lle rydyn ni i gyd yn gwbod iddyn nhw ladd wyth mil o fechgyn a dynion – eu cyrff wedi'u taflu i bydew. Fe ddigwyddodd hynny fis ar ôl fy ymweliad i â Bosnia, ym mis Gorffennaf 1995. Flynyddoedd wedyn, roedd y gyflafan wedi arwain at achosion rhyngwladol, ond ar y pryd, dyna'r union job roedd y bois 'ma yn ei gwneud.

Roedden nhw hefyd yn gwneud jobsys ymarferol fel llenwi tyllau mewn ffyrdd a thrwsio pontydd, achos roedd Croatia a Serbia yr adeg honno yn ymosod ar bontydd. Roedden nhw hefyd yn ceisio sicrhau bod plant amddifad yn cael eu cofnodi, fel bod 'na ryw obaith o weithio mas lle o'n nhw erbyn diwedd y rhyfel.

Roedd y bois yn ddigon parod i gael eu ffilmio. Roedd e'n rhywbeth gwahanol iddyn nhw i gael y ferch 'ma'n gofyn, "Newch chi siarad yn naturiol, bois, wrth i chi gerdded draw i'r *observation point* sydd yng nghanol unman, yn edrych draw at ynnau Serbia?" Ond roedden nhw'n wych ac yn siarad mor naturiol. Roedd enwau mor Gymreig 'da nhw – William Williams, Seiriol, a Michael, oedd heb ddannedd blaen.

Lan yn yr OP, fel roedden nhw'n eu galw nhw, eu job oedd jyst edrych, cofnodi, heb saethu'n ôl. Dyna lle roedden nhw am oriau bwy gilydd yn cofnodi a oedd gwn sneipr i'w glywed, neu a oedd gwn mawr i'w glywed.

Ro'n i'n sefyll mas yn y cae 'ma gyda'r bois yn siarad â'i gilydd.

"Be ti 'di gweld heddiw? Oes 'na unrhyw beth wedi digwydd?"

"Na, dawal, 'sti."

Roedden nhw'n swnio fel petaen nhw yn Nyffryn Nantlle yn cael sgwrs. Yr wythnos cynt roedden nhw wedi gweld y gynnau yn saethu at y bobl leol ond do'n nhw ddim i fod i wneud dim byd, dim ond cofnodi'r peth ar ddarn o bapur.

Roedd cadw'r heddwch yn swnio mor andros o wyn a glanwedd, ac eto roedd yr hyn roedden nhw'n ei wneud yn *anything but*. Roedden nhw yna yn y mwd, yn trio gwneud penderfyniadau o ddydd i ddydd, yn trio bod yn garedig i'r plant oedd heb eu rhieni. Roedden nhw'n trio bod yn ddefnyddiol, ac eto rhyw iaith ddiplomyddol, pell iawn o'u bywydau dyddiol nhw, oedd y busnes 'cadw heddwch' 'ma. Mantell ryngwladol oedd hi.

Roedden nhw'n deall yn well na neb, yr eiliad honno, fod 'cadw'r heddwch' yn golygu dim byd. Roedd e'n hen gyfnod dychrynllyd o anodd iddyn nhw ac ro'n i mor ddiolchgar iddyn nhw am fod mor barod i sefyll yna, yn siarad â fi mor agored.

"I ddweud y gwir, tydw i ddim yn meddwl dylen ni fod yma, tydi o ddim yn rhyfel i ni," meddai'r milwr cyntaf. "Ond mae 'na waith i neud yma a dyna 'nes i ddewis – bod yn y fyddin, a dyma'r gwaith dwi fod i neud. Dyma be 'na i tan bod y *regiment* wedi gorffen ei *duty* yma. Wedyn, awn ni'n ôl i'n gwlad ein hunain."

Ro'n i'n gwbod bod cael hyn ar gamera yn beth gwerthfawr. Roedd e'n rhyw fath o benllanw i'r tripiau niferus ro'n i wedi eu gwneud i Bosnia.

Dyma ran o'r byd lle ro'n i wedi gweithio, mentro a threulio digon o amser. Ro'n i'n sefyll mewn rhan o'r byd oedd yn golygu lot i fi. Roedden nhw'n sefyll mewn rhan o'r byd lle, iesgob, doedd neb arall yn ei nabod yn well na nhw chwaith. Roedden nhw'n byw yna o ddydd i ddydd, yn dod i nabod teuluoedd, yn ceisio neud synnwyr o'r llanast.

Fe gollon ni o un pwynt yn erbyn Iwerddon y diwrnod hwnnw. Roedd e'n grêt o ran lluniau ac yn ddefnyddiol wrth sgriptio. Ro'n i'n ymwybodol y byddai teuluoedd y bechgyn yn eu gweld nhw ar y teledu 'nôl adre. Eto, ro'n i'n meddwl: 'newch chi weld bo' nhw'n ocê, a bo' nhw'n fois meddylgar, sy'n cael rhannu barn yn eitha clir. Roedden nhw'n trafod mor gall.

A dyna ni, gethon ni'n cyfweliadau, gethon ni'n bwydo, a gethon ni aros ar fatras ar lawr.

Pedair awr ar hugain ar ôl cyrraedd, roedd hi'n amser i ni adael. Dim ond rhyw saith milltir o'r *front line* o'n ni, ac roedd rhaid wynebu'r daith 'nôl i Split unwaith eto. Rhyw 29 oed o'n i, a James chydig yn fengach. Dwi'n credu bod y milwyr yn teimlo rhyw fath o gyfrifoldeb i'n cael ni'n ôl yn saff. Naethon nhw ddweud: naill ai ewch 'nôl yn hwyr y nos pan fydd y milwyr ar y *checkpoints* wedi meddwi ar Slivovits, byddwch chi'n fwy siarp na nhw, a gewch chi fynd drwodd. Neu, dechreuwch am bump y bore a byddan nhw'n dal i gysgu, neu'n *hungover* a ddim o gwmpas eu pethe. Fydd y sneipers ddim yn gallu anelu'n syth. Jyst peidiwch â mynd ganol dydd.

A dyna sut aeth 24 awr yn 36 o oriau. Fe godon ni tua phedwar y bore a gyrru'n ôl.

Dwi'n cofio cyrraedd Split a meddwl, "'Na ti gyngor dwi erioed wedi'i gael o'r blaen!" A meddwl, "Waw, mae wedi bod yn antur!" Ond roedd hi wedi bod yn antur werth chweil achos beth oedd gen i oedd chwe casét ffilm. Mae popeth yn ddigidol nawr, ond ar y pryd roedd 'da fi fag o'r caséts 'ma, a hanner dwsin o Gymry Cymraeg yn fan hyn. Does neb arall wedi siarad â nhw drwy'r rhyfel a na'th neb arall eu cyrraedd nhw am weddill y rhyfel, a dwi wedi llwyddo i gael gafael arnyn nhw.

Mae 'na falchder newyddiadurol yn fan'na, a rhyw fath o gynnwrf.

Unwaith ro'n ni'n ôl yn y ganolfan newyddiadurol yn Split roedd pawb eisiau gwbod beth ffeindies i. Roedd 'na fyrddau gwyn a ninne'n nodi'n bod ni wedi pasio fan hyn ar y diwrnod hwn a dweud pwy welon ni. Es i ati'n syth i dorri'r pecyn mewn pryd i ddarlledu. Roedd angen darlledu'r noson honno ar *Y Byd ar Bedwar*.

Benthycais i *satellite* rhywun i anfon pethe'n ôl. Bydde Martin Bell yn aml yn garedig iawn. Roedd e'n teimlo rhwystredigaeth o fod yn styc ar ben to gwesty yn gwasanaethu'r sianel newyddion 24 awr newydd. Doedd e ddim yn cael mynd mas i ohebu fel fydde fe'n dymuno. Roedd sicrhau cyswllt lloeren i anfon adroddiadau 'nôl yn fusnes drud, ond roedd e'n archebu 30 munud i anfon pecyn 3 munud, ac yn fodlon i fi anfon fy adroddiadau i ar gynffon ei un e – am ddim!

Ta beth, ro'n i wrthi'n mynd ati i dorri gyda golygydd oedd ddim yn siarad Cymraeg, ac yn dechrau gwylio'r milwyr 'ma. Dwi'n cofio gohebydd Sky yn dod draw. Roedd e'n wyneb cyfarwydd, wedi treulio amser maith yn Bosnia, ac roedd syndod ar ei wyneb.

"Those are squaddies!" medde fe. "Are they talking to you? Are they answering questions about the war?"

A finne'n dweud, "Yes they are, and what's more, when I asked them should they be there, each and everyone of them said, 'No'."

Ro'n i mor falch! Achos holl bwrpas rhaglen *Y Byd ar Bedwar* oedd deall beth oedd pobl yn ei deimlo, ac agweddau pobl tuag at y rhyfel.

"Bloody hell!" wedodd e.

Yn amlwg, fasen nhw byth wedi cael neud hyn yn Saesneg. Ac roedd gen i'r balchder 'ma fod gen i gynnwys oedd yn amlwg yn werthfawr ac yn golygu rhywbeth, ac mai'r *Byd ar Bedwar* a Chymry Cymraeg oedd yn mynd i gael eu clywed nhw'n siarad.

Roedd *Y Byd ar Bedwar* wedi comisiynu arolwg o farn pobl Cymru ac ro'n i'n clywed y canlyniadau yn fy nghlust yn Split.

"Ar gyfer heno," aeth Tweli mlaen, "mae'r *Byd ar Bedwar* wedi comisiynu arolwg barn a ofynnodd i bobl Cymru a ddylai milwyr Cymru fod yn Bosnia o gwbl. Cafodd 500 o bobl eu holi ar y ffôn dros y Sul gan gwmni NOP... Roedd 30% yn credu dylai milwyr Prydain dynnu allan o Bosnia yn llwyr. Roedd 27% o blaid i'r milwyr aros yno i roi cymorth dyngarol, ond roedd 42% o blaid milwyr Prydain yn ymosod ar y Serbiaid; hyn unwaith eto os bydd gwystlon yn cael eu hanafu."

Roedd yr herwgipio 'ma wedi newid pethau yng Nghymru. Ac roedd gwylwyr Cymru ar fin gweld barn onest milwyr ar faes y gad – er nad oedd yr un ohonyn nhw yn ymladd – a fi oedd wedi llwyddo i gael y cyfweliadau.

Ar ôl i fi gyrraedd adre, ro'n i'n meddwl, "Iyffach gols, be 'nes i? Os bydde Mam a Dad yn gwbod am y trip yna, basen nhw wedi meddwl, 'Iesgob mawr, be ma hon yn neud?' Beth fydde pobl wedi dweud petai rhywbeth wedi mynd o'i le?"

Fues i'n lwcus ar sawl achlysur.

Ar ôl dod 'nôl i Gaerdydd ro'n i'n gallu anadlu eto, a chael yr amser i ddod 'nôl i fod yn fi fy hunan. Un o'r pethe cynta ro'n i eisiau neud oedd pobi bara. Roedd e'n teimlo fel peth daionus i neud.

Mae gohebu mewn rhyfel yn dy fwyta di i raddau helaeth. Mae'n aros gyda ti, yn dy newid di, yn treiddio i dy galon di. Wrth ddod o' na, ti'n graddol ymddihatru o'r holl brofiad a wedyn ti'n gweithio mas beth sy'n aros gyda ti, wedi neud argraff arnot ti. Ti'n dod i ddeall y pethe fydd yn golygu byddi di'n gohebu chydig bach yn wahanol tro nesa. Pethe bach ydyn nhw, gair rwyt ti'n ei ddefnyddio, y ffordd rwyt ti'n trin rhywun, sut wyt ti'n holi rhywun. Pethe mân, mân – ond y pethe sy'n dy neud di y gohebydd wyt ti.

Ar ôl dod adre, dwi'n cofio dweud wrth Mam a Dad, "Sai'n credu fasech chi'n hapus am y penderfyniad hwn a'r llall." Ac eto, roedden nhw'n gwbod gymaint ro'n i'n mwynhau. Ro'n i wedi astudio ieithoedd achos roedd gen i ryw syniad yng nghefn fy mhen 'mod i eisiau teithio, ac eisiau bod yn ohebydd. Roedd y cyfleon i wneud hynny yn Gymraeg mor brin.

Ac roedd hwn yn gyfle unigryw ar un olwg. Roedd rhyfel yn digwydd ar stepen fy nrws i pan o'n i'n ohebydd ifanc yn fy ugeiniau, yn barod i deithio. Roedd 'na deimlad bod rhaid neud yn fawr o'r peth. Dwi'n gwbod bod hynny'n hen idiom hyll ar un olwg, ond ro'n i eisiau trio sicrhau bod Cymry Cymraeg yn deall pethe 'bach yn well.

Dwi'n dal i feddwl: os ti'n clywed bachgen ifanc yn

siarad Cymraeg yn rhywle, ti'n mynd i ddeall pethe mewn ffordd fymryn yn wahanol. Mae iaith yn gwbl ganolog i'n ffordd ni o ddeall pethe.

Os wyt ti'n gwylio'r newyddion a chlywed geirfa rhyfel annelwig, 'Peace keeping, intractable, skirmish', mae'n brofiad gwahanol clywed lleisiau ifanc o Gymru yn siarad yn gwbl naturiol yn eu mamiaith yn egluro sut roedden nhw'n teimlo. Dwi'n meddwl bod pobl yn deall yn wahanol.

A'r gwir yw – ro'n i'n mwynhau. Wrth fy modd. O'n i'n cael gwneud beth ro'n i eisiau neud a theimlo – ie, dyma fy stori i. Hon. Dwi wedi'i chracio hi. Yr holl hyfforddiant ges i, y radd mewn Almaeneg. Roedd Almaeneg yn hynod ddefnyddiol yn Bosnia. Roedd e'n fodd i ffeindio ffrindiau mewn mannau lle na fyddai ffrindiau wedi bod heb yr iaith – naill ai gyda milwyr neu'r gohebwyr oedd yno.

Hon oedd y stori ro'n i mor falch ohoni. Erbyn Mehefin 1995, ro'n i'n teimlo 'mod i bellach yn deall y gêm.

Bob tro cyn mynd i'r rhyfel, ro'n i'n mynd i weld fy nai a fy nith, oedd yn blant bach ar y pryd, rhyw fath o deimlad 'mod i eisiau cael un cwtsh mawr – rhywbeth daionus, cariadus. Cael cwtsh mawr gyda Jâms ac Anna, dweud 'Ta-ta, Rhys a Sian, a Dad a Mam'. Roedd jyst y teimlad o gyffwrdd rhywbeth da, saff, llawn, yn bwysig i fi. Roedd gen i'r teimlad bod angen gosod fy echel yn y man iawn, achos pwy a ŵyr beth ro'n i'n mynd i'w wynebu, pa benderfyniadau ro'n i'n mynd i orfod neud, pa mor ryff oedd hi'n mynd i fynd, beth ar wyneb y ddaear ro'n i'n mynd i ffeindio i fwyta ac yn y blaen.

Ro'n i'n trio bod yn llysieuol ar y pryd, ac yn methu'n rhacs bob tro ro'n i'n mynd i Bosnia. Ond doedd pethe felly ddim o bwys. Beth oedd yn fwy pwysig oedd pwy o'n i'n mynd i weithio gyda nhw? Pwy o'n i'n mynd i allu ffeindio; o'n nhw'n mynd i fod yn ffeind? O'n i'n mynd i lwyddo i gyrraedd? Oedd y rhaglen yn mynd i gael ei darlledu ymhen yr wythnos? O'n i'n mynd i gael caniatâd i ffilmio? Falle na fydden i'n cael 'run o'r pethe 'ma! Yn y sefyllfa yna, ti'n teimlo bod ti'n gadael y criw lawr… Ond dim ond wrth edrych 'nôl ti'n meddwl, "Iesgob… Ro'n i'n lwcus tro 'ma!"

Mae llwyddiant yn troi ar ddim. Alle'r boi yn hawdd fod wedi dweud, "I'm sorry, I know you've made one heck of a journey but I cannot allow these boys to speak", a byddai wedi bod yn ddarn dychrynllyd o ddiflas ohona i'n sefyll yna yn siarad i'r camera. Unwaith wedodd e, "Yes they may," ac unwaith i'r bois ddechrau siarad, yn newyddiadurol, roedd y trip yn un gwerth chweil.

Ro'n i wastad wedi eisiau bod yn ohebydd tramor. Fy nhaith gyntaf fel gohebydd ar fy mhen fy hunan oedd i Somalia, ac roedd hynna'n andros o agoriad llygad. Ro'n i wedi hedfan i mewn gyda'r Groes Goch, glanio a thrio neud synnwyr o bethe. Roedd ffotograffydd o'r *Western Mail* gyda fi bryd hynny, a'r ddau ohonon ni wedi dod yn 'bach o fêts, ac yn trio gweithio mas lle i fynd, a thrio cyrraedd rhannau o Somalia lle doedd neb arall wedi bod ac yn y blaen. Mae rhywbeth ofnadwy am y cymhelliad yna, on'd oes e? Yn newyddiadurol, mae'n gwneud synnwyr i gwrdd â phobl newydd, rhannu gwybodaeth newydd o le newydd. Ond y gwir yw: y cymhelliad yw bod ti eisiau bod y cyntaf i gyrraedd rhywle – sy'n beth digon hyll ar un olwg.

Fel menyw yn gohebu mewn rhyfel, rwyt ti mewn byd gwrywaidd. Roedd ambell fenyw fel Maggie O'Kane o'r *Guardian* wedi dangos y ffordd. Yn llythrennol i fi, bron, roedd hi wedi dangos y ffordd. Roedd hi wedi mynd yn ei char heb ganiatâd ei golygydd i Bosnia; felly, meddylies i, pam na alla i. Ond mae'n awyrgylch gwrywaidd iawn iawn, sdim amheuaeth am hynny.

Mae'r Commanding Officers i gyd yn ddynion. Ar y pryd roedd pob un arall yn ddynion, y dynion camera, pawb. Menyw oedd Vera, wrth gwrs, *fixer* enwog y BBC. Ond roedd hi'n enwog am fod yn tyff. Os oeddet ti'n ferch yno, rhaid bod ti'n tyff. Roedd gen ti gynhyrchwyr yn Sarajevo. Iesgob, o'n nhw'n fenywod tyff, yn treulio misoedd yno ac yn aberthu lot i fod yno. Roedden nhw'n teimlo bron nad oedden nhw'n gallu gadael, ac os yw'r gohebwyr yma'n aros, ry'n ni'n aros.

Dwi'n cofio unwaith bod ar y ffordd gyda Vera'n gyrru yn hen *armoured* Land Rover y BBC. Roedd e'n drwm ac yn mynd yn araf drwy'r dirwedd lwyd, fwdlyd 'ma, a dim un o fapiau'r ardal yn edrych fel y wlad o'n cwmpas ni. Os nad oedd pont lle ro'n ni'n disgwyl iddi fod, roedd rhaid i ni droi'n ôl a mynd rownd, ac ychwanegu oriau anghyfforddus i'n taith. Byddai Vera'n gofyn i unrhyw un oedd yn y car am gerddoriaeth. Ro'n i wedi dod â thapiau'r Cyrff. Ro'n i'n dwlu arnyn nhw ar y pryd. A dyma Vera'n chwarae'r tâp a 'Llawenydd heb ddiwedd' yn blasto mas. Ond ro'n ni'n gyrru drwy'r lle 'ma oedd yn unrhyw beth ond llawenydd … Ond o! roedd Vera yn dwlu. Roedd Vera yn Fwslim, dwi'n credu. Doedd neb yn siŵr o ba dras oedd hi. Ynghanol rhyfel, roedd hi weithiau'n fwy diogel i fod felly. Roedd hi mor garedig i'r Cymry, mor barod i gyfrannu. Roedd hi'n awyddus i egluro i ti beth oedd yn digwydd. Dwi'n weddol siŵr 'mod i wedi gadael fy nghasét gyda hi i ddweud diolch am bopeth. Mewn ffordd, i fi, roedd rhoi casét y Cyrff, siarad am ddiwylliant Cymru, yr iaith Gymraeg, yn ffordd arall i ni drio deall ein gilydd.

Felly, do'n i'n sicr ddim ar fy mhen fy hunan fel menyw, ond roedd rhaid cael penelin eitha siarp i fod o flaen y ciw. I gael y dyn camera o't ti moyn, roedd rhaid darbwyllo hwnnw bod ni'n mynd yn y bore. Ro'n i'n gorfod cymryd cyfrifoldeb drosto. Os oedd rhywbeth yn digwydd iddo fe, fi oedd yn gyfrifol.

Oedd, roedd rhaid bod yn reit galed a bod yn rhywun gwahanol mewn rhyfel. Roedd rhaid bod yn tyff achos roedd rhaid i ti gael y stori neu fyddet ti'n cyfrannu dim.

Allet ti byth wbod beth oedd i ddisgwyl, dim ond mynd â rycsac a chadw pethe'n syml. Dwi'n cofio mynd i Sarajevo ac aros yn y gwesty ro'n i wedi'i weld ar y teledu gymaint o weithiau – yr enwog Holiday Inn. Ges i stafell wely oedd â thyllau bwledi dros y waliau i gyd. Dwi'n cofio tynnu llunie; mor anhygoel oedd e i fi fod y tu fewn i'r lle enwog 'ma yn edrych allan.

Ro'n i wedi cael cyngor bod angen mynd â phêl sboncen, neu bêl tennis wedi'i thorri'n ei hanner. Roedd angen gosod hwn dros blwg y bath yn y bore a gadael y taps ar agor. Os bydde dŵr o gwbl yn ystod y dydd, bydde hwnnw yn arllwys i'r bath a byddet ti'n gallu cadw rhywfaint o ddŵr yn y bath. Achos doedd 'na ddim plwg. Jyst y bath.

Ro'n i'n dod 'nôl o ohebu a sbio'n syth yn y bath. Oedd unrhyw ddŵr? Rhywfaint. Wedyn byddai'n bosib cael rhywfaint o folchad. Lawr yn y bwyty roedd y lle enfawr 'ma a'r rheiny oedd yn gweini yn dal wedi'u gwisgo fel pe na bai rhyfel, yn dod â *silver service*. Anhygoel. Sut oedd y rhain yn mynd i weini bwyd? Roedd pawb yn sbio arna i ac yn chwerthin, achos bydden nhw'n codi'r caead mawr 'ma a doedd bron dim byd yna – jyst unrhyw beth roedden nhw wedi llwyddo i gael. Darn o gig, neu beth bynnag, ac yn diolch amdano fe.

Roedden nhw'n ddyddiau hollol wahanol bryd hynny,

wrth gwrs. Roedd 'na *satellite phones* i gael, ond doedd gen i ddim un. Ar y pryd doedd gan BBC Cymru ddim un. Pan o'n i yna gyda rhwydwaith y BBC, ro'n i'n gallu benthyg un i ohebu. Dwi'n cofio gohebu i'r *Post Prynhawn* a llwyddo i gael lein, a chlywed llais Garffild Lloyd Lewis, y cynhyrchydd, "Reit, ti yna, grêt! Ni'n dod atot ti nesa…" a sŵn cras yn dod ar draws y lein: crcrcr rcrcrc. Ro'n i'n gwbod bod y lein wedi mynd a'i bod hi'n mynd i gymryd deg munud arall i drio ailgysylltu. Fel'na oedd hi. Doedd dim modd WhatsAppo'r teulu, na chriw *Y Byd ar Bedwar* i ddweud 'mod i'n iawn.

Y gwir yw, pan ges i blant, 'nes i stopio neud pethe fel hyn, achos mae teimlad o gyfrifoldeb wedyn. Ti'n neud penderfyniadau gwahanol pan wyt ti yn dy ugeiniau.

Dwi ddim yn difaru dim. Dwi'n dal i siarad am Bosnia. Dwi'n dal i sôn am y straeon ac mae'r atgofion yn dod am bobl, am bethe. Dyma'r stori, a dyma'r wlad, lle ro'n i'n teimlo 'mod i wedi dod i ddeall, a mynd chydig dan y croen. Dwi'n falch o hynny.

Wrth edrych ar y pasys bondigrybwyll 'na nawr, mae golwg y cythraul arna i ynddyn nhw. Ydw i'n edrych fel gohebydd rhyfel? Mae 'ngwallt i dros bob man. Dim colur. Enw wedi ei gamdeipio. Dwi'n edrych yn flin. Ro'n i'n meddwl 'mod i'n edrych yn niwtral, ond dwi'n edrych dan bwysau. Ond dwi'n falch bod y rhain yn bodoli. Bydda i'n eu dangos i'r wyrion ryw ddydd ac yn dweud, "Drycha, dyma beth na'th Mam-gu…"

BETHAN KILFOIL

Buddugoliaeth cariad cyfartal

"This has always been about our fundamental right to marry just like any other couple."

Dr Katherine Zappone a Dr Ann Louise Gilligan

4 Rhagfyr 2006

Roedd pawb yn ymwybodol bod 'na fudiad wedi dechrau ar gyfer gwella hawliau cyplau hoyw yn Iwerddon. Roedd aelod o'r Seanad, y senedd yma yn Iwerddon, David Norris, wedi bod yn ymgyrchydd lliwgar iawn ers blynyddoedd. Roedd pawb yn gwybod bod y gymdeithas hoyw wedi dechrau ymgyrchu am fwy o hawliau. Ond dwi'n meddwl mai Katherine Zappone ac Ann Louise Gilligan oedd y rhai cyntaf i fynd ati i drio brwydro drwy'r llysoedd.

Dwi'n meddwl mai'r rheswm am hynny yn syml iawn oedd bod Katherine Zappone yn Americanes ac yn methu deall pam fod hawliau sifil yn Iwerddon mor bell ar ei hôl hi, fel roedd hi'n ei gweld hi. Roedd Katherine Zappone ac Ann Gilligan wedi cwrdd yn Boston. Lleian o Iwerddon oedd Ann Gilligan, ond roedd y ddwy wedi cyfarfod mewn cylchoedd academaidd yn America.

Mi naethon nhw briodi yng Nghanada yn 2003, yr unig wlad lle'r oedd hynny'n bosib ar y pryd. Wedyn, symudon nhw i Iwerddon. Mi benderfynon nhw fynd drwy'r llysoedd gan eu bod wedi ceisio llunio ewyllys, a darganfod nad oedd ganddyn nhw hawliau fel cwpl hoyw dan gyfraith Iwerddon. Do'n nhw ddim yn gallu gadael eiddo i'w gilydd heb fod oblygiadau treth ofnadwy, felly dyna pam aethon nhw i'r llys dros y mater.

Roedd pawb yn gwybod bod y ddwy yn ymgyrchu'n frwd. Mi gafodd yr achos dipyn o sylw, yn enwedig gan fod Katherine Zappone yn berson mor lliwgar. O'n i wedi cyfarfod â hi ac Ann Gilligan o'r blaen dan amgylchiadau gwahanol. Roedd y ddwy ohonyn nhw wedi bod yn weithgar mewn addysg gymdeithasol ar gyfer merched mewn ardaloedd difreintiedig, ac wedi sefydlu canolfan addysg An Cosán yn Nulyn. O'n i wedi mynd yno i ffilmio am gyrsiau ar gyfer merched, yn benodol, mamau dibriod ifanc oedd heb gael cyfle yn yr ysgol.

Roedd pawb eisoes yn gwybod amdanyn nhw, ond na'th yr achos llys ddod â lot mwy o sylw i'r ddwy. Na'th o grisialu'r peth o fewn y byd cyfreithiol, a rhoi platfform i bobl hoyw.

Roedd sylwadau'r barnwr ar ôl y llys hefyd wedi

creu argraff. Dywedodd Ustus Elizabeth Dunne, o dan y cyfansoddiad yn Iwerddon, fod priodas yn golygu cyfamod rhwng merch a dyn. Dyna oedd y cyfansoddiad ar y pryd, ond mi ddywedodd hi hefyd ei bod hi'n edrych ymlaen at ddatblygiadau gwleidyddol fyddai'n herio hynny. Roedd hynny wedi dal sylw.

Yn llythrennol, roedd y llysoedd wedi dweud: allwn ni ddim gwneud dim byd, felly mae i fyny i'r gwleidyddion a'r gymdeithas wneud rhywbeth.

Dwi'n meddwl bod y rhan fwyaf ohonon ni yn y llys, yn enwedig ni newyddiadurwyr, wedi gobeithio y byddai'r dyfarniad yn mynd o'u plaid nhw. Dwi'n meddwl bod pawb yn meddwl: piti, dyna ni, ond dydy'r ddwy yma ddim yn mynd i roi'r gorau iddi beth bynnag!

Ymateb Katherine Zappone i'r dyfarniad oedd ei bod hi'n siom ac yn syndod. Y cwbl ro'n nhw ei eisiau oedd cael yr un hawliau â phawb arall. Roedden nhw wedi mynd â'r achos ar sail hawliau dynol. Roedden nhw'n teimlo bod ganddyn nhw'r un hawliau dynol â phawb arall ac y dylai'r gyfraith gydnabod hynny.

Roedd hi'n eithaf emosiynol wrth ddweud hyn. Dywedodd ei bod hi ac Ann wedi bod efo'i gilydd ers blynyddoedd, eu bod nhw'n caru ei gilydd fel pawb arall, ac y dylen nhw gael eu cydnabod fel pawb arall.

Ymateb y gymdeithas hoyw oedd: reit, mi awn ni ati rŵan. Mae hyn yn mynd i roi cic i'r mudiad, cic i ni ac mi

48

awn ymlaen ac mi 'nawn ni frwydro. Dwi'n meddwl mai dyna oedd y teimlad.

Wrth gwrs, mi gymerodd hi bron i ddegawd i'r gymdeithas, y gyfraith a'r gwleidyddion newid. Dwi'n meddwl, yn yr achosion yma i gyd, fod y gymdeithas o flaen y gwleidyddion, oedd fel petai arnyn nhw ofn taclo'r pethau yma pan oedd pawb o'u cwmpas yn meddwl ei bod hi'n amser i ni newid a thyfu i fyny.

Wedi'r achos llys yn 2006, rhyw bum mlynedd wedyn mi ddaeth newid yn y gyfraith i roi hawliau sifil, yn cynnwys partneriaeth sifil, a bron iawn yr un hawliau â chyplau eraill. Ond doedd hynny ddim yn ddigon. O ran hawliau cyfreithiol, roedd o bron iawn yr un peth â phriodas.

Ond ymateb y gymuned hoyw oedd dweud: rydyn ni eisiau priodi! Pam na chawn ni ddefnyddio'r gair hwnnw? Roedd o i'w wneud â hawliau cael plant a bod yn rhieni i blant.

Aeth y mater ymlaen i'r refferendwm mawr yn 2015 – roedd o'n anhygoel. Wrth gwrs, roedd rhai'n anhapus efo rhai agweddau ar newid y gyfraith, ond yn y bôn roedd y mwyafrif mawr o blaid newid y gyfraith i roi hawl i gyplau hoyw briodi.

Roedd y refferendwm yn ysgubol – Iwerddon oedd y wlad gyntaf yn y byd i bleidleisio o blaid priodas hoyw.

Dwi'n cofio diwrnod canlyniad y refferendwm. Roedd o jyst fel parti mawr. Roedd pethau wedi digwydd yn ystod yr ymgyrch oedd yn gwneud i chi feddwl – waw, mae pethau wedi newid. Er enghraifft, roedd yr arlywydd ar y pryd, Mary McAleese, wedi datgan bod ei mab hi'n hoyw a'i bod hi eisiau iddo gael hawliau fel pawb arall. Dwi'n meddwl bod popeth fel hyn yn fater personol, ond roedd y ffaith bod yr arlywydd ei hun wedi dod allan a dweud: ylwch, dwi'n fam a dwi eisiau hyn i fy mab i, roedd o jyst yn deimlad bod 'na don yn mynd drwy bawb yn dweud "Ie".

Roedd o'n ddiwrnod hapus iawn.

Er eu bod eisoes wedi priodi yng Nghanada dros ddegawd ynghynt, wrth i Iwerddon addo cydnabod priodasau hoyw, mi na'th Katherine Zappone, yng ngwres y foment, ofyn i Ann ei phriodi eto yn fyw ar yr awyr yn ystod yr awyrgylch o ddathlu yn Nulyn. Roedd o'n ddiwrnod bendigedig.

I fi, roedd y stori'n bwysig ar lefel bersonol gan fod gen i ddiddordeb mewn achosion yn ymwneud â'r cyfansoddiad. Roedden nhw'n gallu bod yn reit gymhleth ond hefyd yn reit ddiddorol. Roedd hon yn enghraifft o ymdrech i drio newid y gyfraith a newid cymdeithas. Roedd fel hedyn oedd yn mynd i dyfu. Dwi'n teimlo'n freintiedig 'mod i wedi cael bod yn rhan ohono reit ar y cychwyn, ar adeg allweddol i'r stori. Ac mi na'th hi ddatblygu mewn ffordd hapus. Yn aml mae'r straeon rydyn ni'n eu gwneud yn ofnadwy ac yn drist, a does dim diweddglo hapus.

Mae'n sefyll allan hefyd, achos dwi'n cofio bod y ddwy

ferch oedd yn rhan o'r stori yn ferched gloyw iawn. Roedden nhw'n sefyll allan fel unigolion cryf.

Aeth Katherine Zappone ymlaen i fod yn Aelod o'r Seanad, y senedd, ail dŷ'r llywodraeth yn Iwerddon. Wedyn mi ddaeth hi'n Aelod Seneddol yn y Teachta Dála, yn y Dáil, ac wedyn yn Weinidog ar faterion plant a phobl ifanc. Hi oedd y lesbiad agored gyntaf i fod mewn llywodraeth. Ers hynny rydyn ni wedi cael Leo Varadkar, y Taoiseach, sy'n hoyw agored.

Doedd Katherine Zappone ddim yn derbyn yr ateb "Na" fel gweinidog chwaith. Mi aeth hi i Rufain i siarad â'r Pab. Fel arfer, pan mae pobl yn siarad â'r Pab maen nhw'n ysgwyd llaw a dweud pethau neis. Ond mi na'th Katherine Zappone ddweud wrtho ei bod hi eisiau newid yn y ffordd mae'r eglwys yn ymdrin â phlant. Roedd hi'n hollol anniplomyddol.

Fel Gweinidog dros Blant, roedd hi'n weithgar iawn yn y stori ofnadwy pan ddaethpwyd o hyd i fedd yn Galway lle'r oedd cannoedd o blant wedi cael eu claddu dan gartref i famau a'u babanod. Roedd hi'n weithgar iawn yn y broses o wthio'r achos ymlaen o ddod â hawliau i'r mamau a'r teuluoedd oedd wedi marw dan ofal yr Eglwys Babyddol.

Roedd y gyn-leian Ann Gilligan yn arfer siopa ar ran y ddwy bob dydd Sadwrn ar ei beic BMW. Ar ôl gwasanaethu pobl ddifreintiedig am flynyddoedd, bu farw yn 2017.

Roedd stori'r ddwy yn bwysig yn gymdeithasol, ac yn stori bositif.

Weithiau, dydyn ni ddim cweit yn sylweddoli pa mor fawr yw'r hanes rydyn ni'n rhan fach ohono fo. Ydy o'n rhan o gwbl? Stori'r dydd ydy hi yn y bôn; y diwrnod wedyn rydych chi'n symud ymlaen i stori arall. Ond o edrych yn ôl, dwi'n gweld ei bod hi'n rhan o linyn pwysig.

Mae cymdeithas babyddol, draddodiadol Iwerddon wedi trawsnewid yn aruthrol dros y degawdau diwethaf. Y newid mawr cyntaf oedd yn ôl yn 1995. Dyna pryd y pasiwyd refferendwm i roi'r hawl i ysgaru. O'n i yn Nulyn ar gyfer y canlyniad. Mi basiodd o drwch blewyn. Roedd hynny'n arwydd bod pethau yn mynd i newid, ond yn araf.

Yn 2009 wedyn, mi gawson ni ddau adroddiad am gam-drin plant gan yr Eglwys Babyddol a hefyd gan y wladwriaeth. Roedd yr adroddiad yma wedi dangos bod yr eglwys fel cyfundrefn ac fel corff wedi cam-drin plant a mamau dibriod yn ofnadwy. Mi gafodd yr adroddiadau yma effaith pellgyrhaeddol, yn enwedig ar bobl oedd wedi glynu at yr eglwys gydol eu hoes. Dwi'n meddwl bod hynny wedi arwain at y newidiadau ddaeth yn y ddegawd nesaf, sef y refferendwm ar hawliau pobl hoyw a hefyd yr hawl i erthylu. Roedden nhw'n newidiadau aruthrol yn Iwerddon, ac mi newidiodd rôl yr Eglwys Babyddol ym mywydau pobl a'r ffordd roedd pobl wedi cael eu dysgu i edrych ar bobl eraill yn eu cymdeithas.

Er yr holl newidiadau, dwi'n meddwl bod y rhan fwyaf o bobl yn teimlo bod dipyn o ffordd i fynd o hyd. Mae adroddiadau o hyd am ymosodiadau ar bobl hoyw ac ymosodiadau hiliol hefyd.

Mae pethau yn dal i newid ym maes hawliau pobl hefyd; er enghraifft, ym mis Medi 2022, dywedodd y llywodraeth fod gan bob merch rhwng 17 a 25 oed yr hawl i gael dulliau atal cenhedlu am ddim. Mae hynny'n gam anferth. Tan 1980 roedd dulliau atal cenhedlu yn erbyn y gyfraith. Roedd yn rhaid i ferched fynd i fyny i Belffast yng Ngogledd Iwerddon i brynu condoms ac ati, a dod â nhw 'nôl i lawr i'r Weriniaeth – a chael eu harestio yn aml iawn.

Mae'r rhod yn dal i droi yn Iwerddon.

Dwi'n falch o'r rhan fach ges i yn dweud y stori.

BETHAN RHYS ROBERTS

Ymosodiadau Paris

"Je suis Charlie"

Newyddion S4C

Ionawr 2015

Roedd y stori yma'n teimlo'n bersonol. Ymosodiad terfysgol, ond ymosodiad hefyd ar fy mhroffesiwn i.

Dwi'n cofio bod yn y swyddfa yn gweithio yn Adran Newyddion y BBC yng Nghaerdydd ac roedd hi'n fore Mercher. Ar y sgriniau roedd "Paris Attack" yn dechrau ymddangos. Roedd pawb yn dechrau edrych ar y teledu, a gwylio'r copi yn dod i mewn. Roedd hi'n amlwg iawn fod ymosodiad ofnadwy yn digwydd yng nghanol Paris.

Unwaith ei bod hi'n glir bod 'na ladd a bod pobl wedi marw, dyna ddechrau sôn am anfon rhywun draw wedyn. A dyna'r drefn – roedd rhaid mynd ar frys. Ro'n i'n nabod Paris; ro'n i wedi astudio newyddiaduraeth yno a dwi'n siarad Ffrangeg. Dyma'r pennaeth, Sharen Griffith, yn dweud, "Tisio mynd? Cer! Dach chi angen mynd yn go handi."

Ro'n i wedi neud straeon tebyg o'r blaen. Ro'n i wedi gohebu ar ymosodiadau terfysgol yr IRA yn Llundain: bom Bishopsgate ym 1993; ymosodiad ar siop Harrods. Dwi'n cofio'r ofn adeg ymosodiadau terfysgol 2005. Ond roedd rhywbeth gwahanol iawn am hyn.

Aeth pump ohonon ni allan o Gaerdydd. Alan Le Bon oedd y dyn camera, ac roedd tîm gohebu cryf iawn yn cynnwys Aled Huw, Iolo ap Dafydd ac Iwan Griffiths. Roedd Iwan hefyd yn gweithio fel ail gamera yn ogystal â chynhyrchu rhywfaint. Yn sydyn reit, dyma ni'n rhuthro adref, yn llenwi ces a thaflu rhywbeth i'w wisgo a neidio ar drên i Lundain, tra bod Sharen wrthi'n trefnu ffleits. Dyma ni'n rhuthro i Baris, a chyrraedd tua chanol pnawn, gan wybod bod angen i ni ddarlledu yn reit handi.

Yr holl ffordd yno roedden ni'n gwrando, gwrando, gwrando, a dilyn y cyfryngau cymdeithasol, ac mi ddaeth hi'n amlwg ei bod hi'n stori fawr.

Y noson gyntaf, y peth pwysig oedd darlledu'n fyw. Doedd dim modd gwneud mwy na hynny. Roedden ni'n dechrau gweld siâp y stori, a sylweddoli ei bod hi'n ddifrifol, ond hefyd nad oedd hi ar ben. Dyna oedd y peth pwysig.

Roedd lladd wedi bod yn swyddfa cylchgrawn *Charlie Hebdo* yn y bore, ond roedd y ddau oedd yn gyfrifol yn dal ar ffo. Wrth gwrs, doedden ni ddim yn gwybod mai dau frawd oedd yn gyfrifol ar y pryd, Chérif a Saïd Kouachi, a bod y stori'n dal i ddatblygu.

Yr hyn dwi'n cofio ydy teimlo ofn mewn dinas ro'n i'n gyfarwydd iawn â hi. Ond roedd pobl yn eofn hefyd. Roedd y cyfuniad yna o deimlo, "Reit, 'dan nhw ddim yn mynd i'n cael ni. 'Dan ni'n Ffrancwyr. Dyma Ffrainc. Byd rhyddid barn. Rhyddid mynegiant. Rhyddid y wasg. 'Dan ni ddim yn mynd i gael ein tewi." Ond roedd hi'n ddinas nerfus ofnadwy ar y pryd hefyd.

Roedd hi'n anhrefn yna – pawb ar y strydoedd yn ofnus a channoedd o heddweision a phlismyn arfog ym mhobman. Roedden ni mewn gwesty oedd ddim yn bell o ble ro'n i'n arfer byw ym Mharis. Ro'n i'n gyfarwydd iawn â'r strydoedd. Doedd o ddim yn bell o swyddfeydd *Charlie Hebdo*. Ond do'n i ddim yn nabod y ddinas y tro hwn bron, gan fod y teimlad mor wahanol.

Dwi'n cofio edrych i fyw llygaid lot o Ffrancwyr a dwi'n cofio llygaid pawb yn fawr. Roedd 'na ddicter yna, ond nerfusrwydd hefyd. A dwi'n cofio cerdded heibio i gaffi a rhywun yn gollwng *tray* a chlywed y bang mawr 'ma. Dwi'n cofio llwyth o bobl yn neidio, ac yn mynd i orwedd ar y llawr ar frys. 'Nes i neidio allan o 'nghroen! Wrth gwrs, dim ond un o'r gweinwyr oedd wedi gollwng *tray*. Ond dyna pa mor nerfus oedd pethau. Ac ar ben hynny, wrth gwrs, roedd rhaid i ni weithio. Roedden ni yno i ohebu, ac roedd hynny'n dipyn o her.

Roedden ni i gyd wedi cael ein taro mewn rhyw ffordd.

Dyma ymosodiad ar y proffesiwn.

Roedd hynny'n rhoi rhyw agwedd bersonol a dimensiwn arall i'r stori.

Roedd Ffrainc fel pe bai wedi cael ei thrywanu yn ei chalon, bron. Roedd 'na deimlad bod un o werthoedd sylfaenol Ffrainc wedi cael ei rwygo, sef y syniad yma o ryddid mynegiant.

Roedd pobl mor flin am hynny. Ac eto, rhaid cofio bod *Charlie Hebdo* yn bryfoclyd ofnadwy, a bod rhaid holi lle mae'r ffin o ran rhyddid barn. Nid 'mod i'n dweud eu bod nhw wedi croesi'r ffin – dwi ddim yn dweud hynny. Ond roedd dangos cartŵn o'r proffwyd Mohamed yn bryfoclyd, ac roedden nhw wedi gwneud hynny yn y gorffennol a dioddef ymosodiadau o'r blaen. Felly dyma Ffrainc yn gwthio ffin rhyddid mynegiant, a dyma'r pris oedd i'w dalu. Mae hon yn ddadl enfawr. Ond wrth gwrs, does dim cyfiawnhad o gwbl am yr ymosodiad ar y swyddfa fach yna.

Gan 'mod i wedi astudio newyddiaduraeth ym Mharis, rhyw ddwy neu dair stryd o swyddfeydd *Charlie Hebdo*, ac wedi astudio rhyddid barn fel rhan o'r cwrs, roedd o'n dod â'r cyfan yn agos iawn at adre. Ro'n ni wedi trafod a oedd *Charlie Hebdo* wedi croesi'r ffin pan o'n i'n fyfyrwraig. Roedd o wedi bod yn destun traethawd. Roedd o wir yn fyw iawn i mi.

Ar ben hyn i gyd, roedd yr elfen bersonol o ddeall

gwaith y newyddiadurwyr yma oedd yn cael eu cyfarfod golygyddol ar fore Mercher. Yn yr un modd mae newyddiadurwyr ar draws y byd yn cael eu cyfarfodydd dyddiol ac wythnosol. Roedd y terfysgwyr yn gwybod yn iawn eu bod nhw'n cyfarfod am 11.30 ar fore Mercher, ac y byddai'r holl gartwnyddion yna. Roedden nhw wedi targedu hynna. Mi aethon nhw i'r adeilad anghywir yn y lle cyntaf. Wedyn ffeindio'r lle cywir. Roedd swyddfa *Charlie Hebdo* wedi gorfod symud i adeilad heb unrhyw fath o arwydd arno, gan eu bod nhw wedi bod mewn peryg o'r blaen. Roedd yn adeilad diddim, cwbl ddinod. Fysai neb yn gwybod eu bod nhw yna. Ond roedd y terfysgwyr yn gwybod yn iawn, ac wedi targedu'r lle yn benodol.

Mi ges i gyfle i fynd 'nôl i holi rhai o newyddiadurwyr y dyfodol yn ystod y tri diwrnod ro'n i yno. A'r hyn oedd yn taro rhywun oedd pa mor eofn oedden nhw a pha mor benderfynol oedden nhw o beidio crymu i bwysau'r terfysgwyr. Dyna oedd y slogan yndê, "Je suis Charlie". Dwi o blaid hyn, dwi 100%, ysgwydd wrth ysgwydd, efo newyddiadurwyr *Charlie Hebdo*.

Ro'n i wedi bod ar brofiad gwaith am gyfnod i bapur newydd *Le Figaro* ac efo Stéphane, oedd yn bennaeth ar y pryd yn yr adran lle ro'n i. Digwydd bod, 'nes i ffonio fo. Ro'n i yn y tacsi ar ôl cyrraedd Paris, ac yn meddwl pwy allen i ffonio, pwy fyddai â rhywbeth i'w ddweud. A dyma fo'n dweud, "Ti'n gwybod be, ro'n i'n nabod un ohonyn nhw."

Ro'n i'n gwybod o wrando ar ei lais o dros y ffôn ei fod o dan deimlad. Wedyn dyma fynd i'r swyddfa. Roedd hi'n anodd iawn i gael mynediad i swyddfeydd *Le Figaro*. Roedd y lle ar gau ac roedd heddlu arfog reit rownd yr adeilad, ond roedd Stéphane wedi trefnu ein bod ni'n cael mynd i mewn drwy'r cefn. Roedd hynny ynddo ei hun yn brofiad bythgofiadwy.

Roedd Stéphane wedi'n cael ni i mewn, ond doedd rhai newyddiadurwyr ddim eisiau tynnu sylw o gwbl atyn nhw eu hunain ac yn nerfus ofnadwy am eu bod nhw'n sgwennu am y stori. Naethon nhw ofyn i ni adael, felly roedd y sefyllfa'n llawn tensiwn. Roedd Stéphane yn egluro pam ein bod ni yna a'n bod ni ddim yn mynd i ddangos wynebau unrhyw un arall. Dyna'r math o nerfusrwydd oedd yna ymhlith newyddiadurwyr yn Ffrainc ar y pryd. Roedd Stéphane yn fodlon siarad, a dyma fo'n tynnu llyfr allan gan un o'i ffrindiau pennaf, Tignous, oedd wedi cael ei ladd. Roedd Tignous yn gartwnydd a newyddiadurwr. Mae cartwnyddion yn newyddiadurwyr da, achos dydyn nhw ddim angen geiriau. Dyna ydy cartwnydd da, yndê? Roedd o wedi tynnu llun o Stéphane pan oedd y ddau yn gohebu ar achos llys, a dyma fo'n dweud ei fod o wedi bod yn anfon negeseuon testun ato drwy'r bore.

"Mercredi, quand j'ai appris les nouvelles de l'attentat à la

radio, je lui ai envoyé un texto pour lui demander s'il allait bien, mais je na'i pas eu de réponse…"

Wrth gwrs, doedd dim ateb ac roedd Stéphane yn gwybod ei fod o wedi marw.

Ar ôl rhoi stop ar y camera dyma fo'n dweud,

"Ti'n gwybod be, dwi'n nabod rhywun arall sydd wedi goroesi a dwi'n fodlon rhoi ei rif ffôn o i ti, a falle fydd o'n fodlon siarad."

Mi ges i'r rhif ffôn, ac wrth gwrs, dyna'r alwad anoddaf dwi erioed wedi gorfod ei gwneud fel newyddiadurwr, sef ffonio rhywun oedd yn swyddfa *Charlie Hebdo* ar y pryd, a finna'n nabod dim arno fo.

Dyma godi'r ffôn, a dwi'n cofio'r llais 'ma'n ateb a dyma fo'n dweud y cyfan – popeth roedd o wedi'i weld. Roedd o'n cuddio y tu ôl i gwpwrdd ac wedi gweld y cyfan – gweld y gwaed, clywed y gweiddi, gweld y llofruddwyr, gweld yr heddlu. Roedd o wedi gweld y gyflafan a'r anhrefn llwyr yn y swyddfa, a'i gyd-weithwyr i gyd yn swp ar lawr, yn bentwr o gyrff. O'r tu ôl i gwpwrdd. Dyma fo'n dechrau sôn am yr euogrwydd. Dyma rywun do'n i erioed wedi'i gyfarfod o'r blaen ac roedd o'n arllwys yr emosiwn yma, a dyma fi'n dweud wrtho ei fod o angen siarad â rhywun, angen help. Ro'n i wedi troi'n rhyw fath o therapydd iddo fo, a dywedodd o, "Dwi'n gwybod, dwi'n gwybod." Roedd o'n beichio crio. Do'n i'm yn gwybod beth i'w ddweud. Newyddiadurwr o'n i, felly 'nes i ofyn, "Ga i ddeud hyn, ga i rannu hyn?"

"Ddim eto," medda fo. "Na, dim gair."

Felly, mewn ffordd, gyda fy mhen newyddiadurol, ro'n i wedi cael y sgŵp mwyaf! Ond ches i ddim dweud gair, a 'nes i ddim dweud gair ar yr awyr. 'Nes i ddim hyd yn oed cyfeirio at y sgwrs. A dwi'n falch 'mod i heb. Hynny yw, roedd o wedi creu'r darlun byw iawn yma, ond na'th o ddweud, "Plis paid, dwi ofn y byddan nhw'n dod 'nôl amdana i. Paid deud gair bod ti wedi siarad â fi."

Wrth gwrs, mae o'n iawn erbyn hyn.

Ond dyna'r sgŵp mwyaf... Wel, ai dyna'r gair iawn? Na. Ro'n i wedi cael y fraint o siarad â rhywun oedd wedi cael trawma anhygoel, a gobeithio'i fod o wedi mynd yn syth i gael cymorth.

Doedd dim amser i stopio ar ôl y sgwrs honno. Roedd y rhaglen yn agosáu, y dedlein yn agosáu; roedd rhaid torri'r pecyn, roedd rhaid cael lleisiau'r bobl ifanc, roedd rhaid neud hwn i'r radio, hwn i deledu... mynd, mynd, mynd. Ro'n i'n teimlo'r emosiwn yn drwm ofnadwy – rhwng clywed stori'r newyddiadurwr arall a Stéphane. Ond, roedd rhaid i fi'i barcio fo...

Na'th o ddim taro'n iawn tan i fi ddod adre. A dyna pryd chi'n meddwl, waw, ro'n i yna i weithio, ac i ddarlledu. Ond weithiau, mae pwysau'r stori yn enfawr.

Roedden ni i gyd yn Place de la République yn darlledu

ynghanol y galaru, y canhwyllau a phobl yn cofleidio'i gilydd yn eu dagrau. Ro'n i'n teimlo dan draed pawb, ac eto eisiau dweud wrth y byd bod hon yn stori bwysig ac eisiau adlewyrchu'r hyn oedd yn digwydd.

A bod yn onest, roedd arna i ofn hefyd. Roedd 'na gymaint o heddlu arfog ar bob cornel. Ro'n i jyst yn meddwl, lle maen nhw? Be maen nhw'n mynd i neud nesa? Roedd 'na warchae wedi bod mewn archfarchnad Iddewig hefyd, felly nid dim ond ar swyddfa *Charlie Hebdo.* Roedd ofn ofnadwy.

Neges "Je suis Charlie" oedd: dwi o blaid rhyddid y wasg. Dwi'n cytuno â'r newyddiaduraeth feiddgar, bryfoclyd yma. Does neb yn mynd i dewi hynny. Roedd pobl yn cerdded o gwmpas gyda phensil neu lun pensil, ac roedd nerth y pensil yn thema fawr. Roedd pobl yn dyfynnu Voltaire, "Dwi ddim yn cytuno efo'r hyn rwyt ti'n ei ddweud, ond mi wna i farw dros dy hawl di i'w ddweud o." Felly, roedd hynny'n bwnc mawr iawn. Roedd parch tuag at newyddiadurwyr a theimlad bod rhaid cario mlaen.

Ond dwi'n meddwl bod y ffaith bod rhai newyddiadurwyr yn *Le Figaro,* er enghraifft, wedi gofyn i ni beidio dangos eu hwynebau yn dweud cyfrolau... Ie, roedd pawb yn awyddus iawn i gario mlaen, ond roedd pawb yn nerfus hefyd. Wrth adrodd y stori, roedd 'na deimlad o ddangos i'r byd o fod yn feiddgar iawn efo'n pensil, ond o fod ofn efo'n hwynebau.

Ac i fi, yn sefyll o flaen camera mewn sgwâr ynghanol Paris – yn gwbl glir mai newyddiadurwr o'n i – o'n i'n teimlo fel targed. Roedd hynny'n deimlad od iawn. Roedden ni hefyd yn gwybod bod 'na ddiwrnod arall i ddod, a bod y chwilio am yr ymosodwyr yn dal i ddigwydd. Doedd y stori ddim ar ben.

Roedd hwnna'n un anodd i ddod adre ohono fo. Roedd y syniad o anhrefn llwyr ar y strydoedd ond eto fod y caffis yn dal i weini *espressos* ac yn trio cario mlaen i fod yn normal yn rhyfedd. Roedd gweld Paris yn trio'i gorau glas i fod yn gryf yn anodd!

Ond wedyn, o'n i'n meddwl, reit, dwi am fynd 'nôl i Baris eto a'i mwynhau hi, a gwneud yn siŵr ei bod hi'n iawn. Ac mi ges i fynd 'nôl i Baris yn hwyrach y flwyddyn honno. Ond y tro hwnnw, ar ôl ymosodiadau'r Bataclan, ac roedd hi'n waeth bryd hynny. Cafodd Paris gyfnod ofnadwy.

Mi enillon ni wobr BAFTA am y rhaglen ar yr ymosodiad ar *Charlie Hebdo*. Y tîm na'th ei hennill hi. O'n i'n rhan o dîm. Roedd 'na dîm cynhyrchu arbennig iawn 'nôl yma yng Nghaerdydd. Nid fi oedd yn rhedeg ar ôl y terfysgwyr. Nid fi oedd yn cario'r camera i bobman, nac yn sortio'r sain. Dyna sy'n arbennig am raglen newyddion. Dydy o ddim am un unigolyn byth. Ar ben ein hunain rydyn ni'n dda i ddim. Pan mae'r tîm yn dod at ei gilydd ac yn ennill

BAFTA, wel, mae'n grêt, ond y tristwch oedd natur y stori. Doedd o'n ddim byd i'w ddathlu mewn gwirionedd.

Mae *Charlie Hebdo* yn dal i fynd ac yn dal i fod yn feiddgar iawn. Naethon nhw ailgyhoeddi'r cartŵn yna o Mohamed, a beth ddigwyddodd? Cafodd athro'i ladd am ddangos y cartŵn i blant oedd yn dysgu am ryddid y wasg.

Felly, ydyn ni wedi symud mlaen? Ydyn ni wedi dysgu rhywbeth? Beth ydy'r gwersi i'w dysgu? Pwy sy'n iawn?

Wrth gwrs, y terfysgwyr sy'n anghywir.

Ond o ran y drafodaeth am ryddid y wasg, mae'n rhyddid sylfaenol, ond a oes 'na ffiniau? Ydy'r ffiniau yna'n ehangu neu'n cau ar hyn o bryd? Dwi ddim yn gwybod.

Ond dwi'n meddwl lot am hynny.

CIARAN JENKINS

Rhagweld eu dyfodol eu hunain

"In the hearts of our towns and cities, they're almost invisible in plain sight."

'Scotland's drug deaths crisis'

Channel 4 News

19 Chwefror 2018

Dyma'r adroddiad cyntaf 'nes i fel gohebydd yr Alban i *Channel 4 News*. Ym mis Chwefror 2018 fe wnaethon ni agor *bureau* newydd yn Glasgow, a'r briff oedd dechrau gydag adroddiad fyddai'n creu argraff ac yn cael dylanwad. Felly 'nes i feddwl yn ofalus am stori fysai'n drawiadol.

Stori marwolaethau oherwydd cyffuriau yn yr Alban oedd hi, ond yn ffocysu ar Dundee.

Dundee oedd y ddinas â'r gyfradd waethaf o farwolaethau yn yr Alban. Wrth gwrs, mae'r marwolaethau oherwydd cyffuriau yn waeth yn yr Alban nag yn unrhyw le arall yn y Deyrnas Unedig ac yn Ewrop.

O'n i'n ffeindio fe 'bach yn od wrth ddod i weithio yn

yr Alban fod 'na broblem oedd pobl yn ymwybodol ohoni ond nad oedd digon yn ei chymryd o ddifrif. Roedd teimlad fod 'na rywbeth anochel am y nifer o bobl oedd yn marw bob blwyddyn. Felly, o'n i eisiau gweithio mas rywsut pam nad oedd y sefyllfa yn gwella, pam oedd hi'n mynd yn waeth, pam oedd e'n teimlo fel petai neb yn cymryd y peth o ddifrif, a pham nad oedd e ynghanol y ddadl wleidyddol nac ynghanol ymwybyddiaeth pobl.

A bod yn onest, y stori 'nes i ddechrau efo hi oedd stori hollol wahanol. Y rheswm es i i Dundee oedd achos bod y cyfraddau'n lot gwaeth yno. Ond y stori o'n i eisiau neud oedd bod pobl fan'na yn protestio. Roedd y bobl oedd yn camddefnyddio cyffuriau'n protestio yn erbyn y gwasanaeth cyffuriau. O'n i'n meddwl bod hynna mor ddiddorol ac mor od.

O'n i eisiau ffeindio'r bobl 'ma oedd yn protestio.

★

Beth 'nes i oedd mynd i Dundee, parcio'r car, a mynd lawr y brif stryd lle mae'r siopau i gyd. Dechreuais i holi pobl gan ddangos sgrap mas o'r papur newydd a llun un o'r bobl 'ma oedd yn protestio, a gofyn oedden nhw'n nabod y bobl oedd ar gyffuriau ac yn protestio yn erbyn y gwasanaethau.

Ond daeth i'r amlwg fod nifer ohonyn nhw wedi marw

yn y cyfnod ers i'r papur newydd lleol sgwennu'r erthygl. O'n i'n teimlo bod hynny mor drawiadol a 'nes i sylweddoli bryd hynny pa mor ddifrifol oedd y broblem.

Beth ry'ch chi'n ei ddarganfod yn eithaf clou yw ei bod hi'n anodd iawn siarad gyda phobl sy'n camddefnyddio cyffuriau achos mae pobl yn gwerthu cyffuriau iddyn nhw a dy'n nhw ddim eisiau i chi siarad. Dy'n nhw ddim eisiau cyhoeddusrwydd, felly chi'n gweld lot o bobl yn dweud, "Na, dim diolch".

Dwi'n credu taw beth oedd yn neud gwahaniaeth i fi oedd y ffaith bod 'da fi'r sgrap 'ma o bapur a bo' fi'n ceisio holi pobl oedd yn anhapus efo'r gwasanaeth roedden nhw'n ei gael. Roedd pobl eisiau gwella ac yn teimlo bod pobl ddim yn gwrando arnyn nhw, a falle na'th hynna helpu ychydig. Gwnaeth hynny i rai pobl stopio a siarad, a dechrau trafodaeth.

Digwydd bod, roedd gŵr a gwraig ddigartref oedd yn eistedd y tu allan i siop Debenhams yn fodlon rhannu eu stori. Roedd Andy a Sheryl Whyte yn caru ei gilydd, yn byw gyda'i gilydd ac yn cefnogi ei gilydd, ond roedd y broblem 'ma gyda nhw oedd yn bygwth dinistrio'u bywydau.

Fel lot o bobl sy'n dioddef o broblemau efo cyffuriau, roedd ganddyn nhw broblemau eisoes yn eu bywydau: problemau teuluol ac anawsterau, a phethau felly. Beth 'nes i ffeindio'n anodd oedd 'mod i wedi dod i wybod lot mwy amdanyn nhw nag o'n i'n gallu gohebu. Dwi'n dal ddim yn gallu trafod y manylion yna oherwydd rhesymau'n ymwneud â'r llys teuluol. Beth sy'n amlwg yw bod y bobl 'ma mewn sefyllfaoedd cymhleth iawn a bod angen lot o gymorth arnyn nhw.

Roedd Andy a Sheryl jyst yn eistedd ar y stryd, heb fawr o gymorth o gwbl.

Rhan fawr o'r broblem efo'r ymwybyddiaeth o bobl sy'n dioddef o gyffuriau yw bod pobl ddim yn eu dyneiddio nhw. Dy'n nhw ddim yn eu gweld nhw fel cleifion, na phobl sydd â theuluoedd a breuddwydion a phethau.

Doedd Andy a Sheryl ddim eisiau gwahanu. Doedd dim byd yn mynd i ddod rhyngddyn nhw… heblaw am y cyffuriau. Yn anffodus, roedd gyda nhw ryw fath o ddealltwriaeth o beth oedd yn mynd i ddigwydd iddyn nhw cyn iddo fe ddigwydd.

Dyna oedd mor drychinebus i fi am yr holl beth. Roedd hi fel petaen nhw'n rhagweld eu dyfodol nhw ar y stryd, ac o'n nhw'n glynu at ei gilydd. Ond yn y pen draw do'n nhw ddim yn gallu aros gyda'i gilydd.

★

Un noson naethon ni eu ffilmio nhw'n ceisio dod o hyd i rywle i gysgu. Roedd un o'r drysau ar agor ac ro'n nhw'n ecstatig i gael lle clyd i gysgu am noson.

Naethon ni gael trafodaeth ar ben y grisiau. Roedd Sheryl

yn dweud, "Dwi'n mynd i neud hyn dro ar ôl tro a dwi ddim yn gweld bod 'na ddyfodol i fi." Roedd hi fwy neu lai yn rhagweld ei marwolaeth ei hun. Roedd hi'n dweud bod ei bywyd hi'n mynd i orffen fel mae bywydau cymaint o bobl eraill sy'n dioddef o gyffuriau yn gorffen. 'Nes i adael, ddim cweit yn siŵr beth oedd yn mynd i ddigwydd iddyn nhw, ond ro'n i'n siŵr nad oedd e'n mynd i fod yn newyddion da. Na'th e i fi deimlo'n fwy penderfynol bod angen i bobl ddechrau delio â'r pwnc yma. Pobl sydd â'r grym i neud gwahaniaeth. Roedd hi'n amlwg bod y bobl 'ma ar y stryd yn Dundee yn teimlo nad oedd yr ewyllys ganddyn nhw i neud gwahaniaeth i'w bywydau nhw'u hunain. Ro'n nhw'n dibynnu ar bobl eraill i neud hynny ar eu rhan nhw.

O'n i wedi cwrdd â sawl person ar y stryd ac elusennau gwahanol oedd yn ceisio helpu'r dioddefwyr. Lai na blwyddyn wedi i'r adroddiad gael ei ddarlledu, ges i alwad yn dweud bod Sheryl wedi marw ar ôl gorddos o gyffuriau, yn union fel roedd hi wedi rhagweld.

Mae'n neud i chi sylweddoli bod 'na ddwy haen o fywyd yn bodoli yr un pryd, a bod pobl yn ceisio peidio meddwl am beth yw'r gwirionedd sydd yn ein hwynebu ni bob dydd ar y stryd. Mae hyn yn digwydd ar y brif stryd yn Dundee. Mae reit fan'na. Chi'n gallu gweld beth sy'n digwydd. Yr un peth yn Glasgow. Os y'ch chi'n cyrraedd Glasgow ar y trên, mae'r broblem cyffuriau yn eich taro chi yn syth, unwaith i chi adael yr orsaf. Yr un peth yn Aberdeen. Does dim angen i chi edrych yn bell i weld beth oedd yn digwydd yn yr Alban a beth sydd yn dal i ddigwydd.

Dy'n ni ddim yn gallu gweld beth sydd o flaen ein trwynau ni.

Ond i'r teuluoedd mae'n effeithio arnyn nhw, does dim dianc. 'Nes i holi mamau oedd wedi colli eu merched i gyffuriau. Merched oedd yn famau eu hunain. O'n i eisiau dangos i bobl beth oedd gwirionedd sefyllfaoedd fel hynny. O'n i eisiau dangos bod pobl sy'n marw o orddos cyffuriau â bywydau a theuluoedd a phlant, a bod yr holl elfennau cymdeithasol ac emosiynol yn parhau – er bod pobl yn marw.

'Nes i holi un fam-gu sut deimlad oedd gorfod dweud wrth ei hwyres saith oed bod ei mam wedi marw.

"I just said, 'Mummy's dead'. And you never want to hear that scream again I tell you… it was horrific."

O'n i jyst eisiau dangos un esiampl o'r sefyllfa – be mae'n feddwl, be mae'n ei olygu i bobl. Ti'n gallu lluosi hynna gyda mil pedwar cant o deuluoedd bob blwyddyn yn yr Alban. Mae hynna'n digwydd.

Mae'r teuluoedd yma'n dioddef ddwywaith hefyd. Maen nhw'n dioddef y stigma cymdeithasol ynglŷn â'u plant, ac maen nhw wedyn yn gorfod magu plant eu plant nhw. Ac mae e'n gallu digwydd i unrhyw un. Dy'n nhw ddim yn deuluoedd *stereotypical* bob tro. Doedd y fam-gu yna ddim wir yn gallu deall beth oedd wedi digwydd i'w theulu hi. Do'n nhw ddim yn deulu basech chi'n disgwyl iddo fod yn y sefyllfa yna. Digwydd bod, roedd y fam yn yr achos yma wedi datblygu salwch, a hyd yn oed bum mlynedd 'nôl doedd pobl ddim yn tueddu i weld camddefnyddio cyffuriau fel salwch.

Wrth siarad â nhw, o'n i'n gallu gweld pa mor anodd oedd hi i ddianc o'r byd yma. Roedd 'na rywbeth anochel amdano fe, a theimlad bod cymdeithas heb strwythur na chynllun na modd i newid pethau. Roedd e jyst yn mynd yn waeth ac yn waeth.

Roedd pawb yn ymwybodol o'r ffilm *Trainspotting* yn y 90au ynglŷn â chamddefnyddio cyffuriau yng Nghaeredin. Does neb yn gallu dweud nad oedd problem fawr yn yr Alban, ac eto, bob blwyddyn mae nifer y bobl sy'n marw yn cynyddu.

Ar ôl neud yr adroddiad, beth o'n i'n ei glywed wrth gyfweld â'r gwleidyddion oedd tueddu bod pobl yn sôn am y 'Trainspotting generation', fel petai hynny'n esgus neu'n esboniad. Roedd fel petai teimlad bod pobl yn eu tridegau wedi tyfu i fyny gyda'r arfer o gymryd cyffuriau a bod marwolaethau jyst yn rhywbeth oedd yn digwydd o ganlyniad i hynny…

Ond fe na'th yr adroddiad yma wahaniaeth yn yr ystyr bod pobl wedi dechrau trafod beth oedd yn digwydd. Ers yr adroddiad, mae marwolaethau oherwydd cyffuriau wedi symud o'r ymylon i fod yn un o'r pynciau mwyaf canolog yng ngwleidyddiaeth yr Alban. Yn ystod yr etholiad diwethaf i Holyrood yn 2021, hwn oedd un o'r pynciau mwyaf dadleuol. Roedd Nicola Sturgeon yn gorfod cyfaddef ei bod hi wedi cymryd ei llygaid oddi ar y bêl ar farwolaethau cyffuriau. Felly, mae wedi newid yn yr ystyr bod pobl yn siarad amdano fe ond, yn anffodus, mae'r sefyllfa wedi gwaethygu bob blwyddyn. Bob blwyddyn roedd 'na dorri record am farwolaethau, ond y llynedd naethon nhw leihau chydig. Yn 2022 cafwyd y record ail waethaf yn nhermau marwolaethau cyffuriau, ond dyw hwnna ddim yn dda iawn, nag yw e?

*

Mae 'na lot o bethau dwi wedi mwynhau eu neud dros yr yrfa dwi wedi ei chael hyd yn hyn. Dwi'n mwynhau cyfweld gwleidyddion. Ond y rheswm dwi'n gohebu a'r rheswm o'n i eisiau bod yn newyddiadurwr oedd fy mod i am ddangos rhyw elfen o'r byd doedd pobl ddim yn ymwybodol ohoni o'r blaen, i geisio newid pethau, a bod yn onest.

Dwi'n credu, gyda'r stori yma, naethon ni lwyddo. Mae wedi troi'n fater canolog iawn yn yr Alban ac wedi newid agweddau, ac mae hynny'n bwysig iawn. Mae wedi newid y ffordd mae pobl yn ymdrin â dioddefwyr; ac os y'ch chi'n mesur argraff, mae'n rhaid bod hon yn un o'r straeon mwyaf dylanwadol dwi wedi bod yn ddigon ffodus i ohebu arni.

GUTO HARRI

Trobwynt gyrfa

"Cutting, cleaning and carving stone is hard work at the best of times, but when you're inscribing marble with the names of young Americans killed in combat it's also painful."

Today, Radio 4 BBC

17 Mehefin 2006

Roedd hi'n sefyllfa reit ddirdynnol mewn sawl ffordd. Fel gohebydd busnes i'r BBC yn America, ro'n i wedi dod i'r pentref bach 'ma yn Vermont lle roedd cwmni cerrig, Granite Industries, yn cael cyfnod euraid.

Ar y pryd, roedd 2,500 o filwyr America wedi'u lladd yn y rhyfel yn Irác ac arolwg barn yn awgrymu bod pryder cynyddol yn yr Unol Daleithiau am strategaeth filwrol y llywodraeth. Beth oedd fwyaf trawiadol i fi am y stori yma oedd y gwrthgyferbyniad rhwng y ffaith bod busnes lleol yn llwyddo'n ysgubol, yn *booming*, fel maen nhw'n dweud, gan fod cymaint o bobl ifanc yn cael eu lladd.

Roedd 'na gyffro bod yr elw wedi cynyddu, mwy o bobl yn cael gwaith a bod 'na *overtime*, a'r holl fantais sy'n dod i'w teuluoedd tlawd o hynna. Ond roedd hyn i gyd ar gefn trasiedi a thristwch mawr oedd mor agos atyn nhw. Roedd tua 40 o bobl yn gweithio yna, a sawl un o'r gweithwyr yn gyn-filwyr eu hunain. Roedd y cwmni wedi creu gwaith o ansawdd da i bobl fyddai wedi straffaglu i gael gwaith mor safonol. Felly roedd manteision mawr i'r gymuned oherwydd bod y busnes yn gwneud cystal.

Ond eto, roedd y cyfan ar gefn rhywbeth ro'n nhw i gyd yn ei ddifaru'n ddychrynllyd.

Rwy'n dwlu ar straeon sy'n dod â rhywbeth go annelwig neu rywbeth sydd yn rhy fawr, bron, i'w ddirnad i lefel ry'n ni i gyd yn ei ddeall.

Ry'n ni i gyd yn deall y tristwch affwysol yna o edrych ar garreg fedd efo enw unigolyn a'i oedran a rhywfaint o'i gefndir, a rhywbeth mae rhywun wedi'i ddweud yn fwriadol iawn er cof amdano. Felly, un o'r rhesymau pam fod y stori yma yn aros yn y cof i fi yw, yn hytrach na chlywed bod cant o filwyr wedi marw heddiw yn Irác, chi'n gweld eu henwau nhw, bob un ohonyn nhw, a'r straeon tu ôl i bob un. Roedd yr adroddiad yma'n dod â'r straeon unigol yn fyw ac roedd hi'n ffordd dda o ddweud y stori fawr.

Erbyn hynny roedd pobl 'nôl ym Mhrydain wedi diflasu

ar y rhyfeloedd yn Affganistan ac Irác. Roedd yr agenda newyddion wedi symud mlaen, neb yn becso rhyw lawer. Felly, roedd y stori hon yn ffordd o ddod â fe'n ôl yn fyw a dweud, "Peidiwch anghofio am hyn, bois."

"Vietnam Veteran Gary Williams is now acutely aware of what's going on in Iraq. There's 2500 killed now from the United States. It makes you really think about it, and you see stones coming through for kids. My son's 33 and you see stones coming through, 19, 20, 21 years old. These kids are just leaving high school." (BBC)

Rwy'n cofio ei bod hi'n sefyllfa od iawn ar un lefel – roedd y bobl 'ma jyst wrth eu gwaith bob dydd ac yn neud beth maen nhw'n ei neud bob diwrnod. Ac mae'n waith eitha caled. Ro'n nhw'n llwch ac yn chwys ac yn fishi ofnadwy, ond achos 'mod i'n eu holi nhw, ro'n nhw'n stopio am eiliad ac yn meddwl am beth ro'n nhw'n neud. Yn amlwg, roedd hyn wedi bod yn eu meddyliau lot dros y misoedd cynt.

Ro'n nhw'n meddwl 'nôl am y cyfnod ro'n nhw'n filwyr eu hunain, yn rhoi eu hunain mewn sefyllfa pobl oedd wedi marw yn Irác ac Affganistan, ac wedi sylweddoli y galle hynny fod wedi digwydd iddyn nhw. Ac yn lle hynny, dyma lle maen nhw nawr, ddeg, ugain mlynedd yn hŷn, wedi goroesi rhyfel ac yn naddu enwau ac oedrannau milwyr ifanc tu hwnt ar gerrig beddi sy'n mynd i Arlington Cemetery.

> *"Another worker, Robert McCullum, was a staff sergeant in the US Army during the initial Iraqi invasion. He might be going back, and he dreads the day when he might also be shaping a stone for someone he knows.*
> *"You feel sorry for the guy. I know it, he knew it, you know, this could happen. I'm hoping I don't have to see someone I know coming through."*
> *"That would be tough."*
> *"Yeah, it would be."* (BBC)

Roedd cytundeb gan Granite Industries am bedair blynedd, ac yn werth dros dair miliwn o ddoleri'r flwyddyn i'r cwmni. Roedd y rhan fwyaf o'r cerrig beddi ar gyfer cyn-filwyr rhyfeloedd o'r gorffennol. Roedd un o'r gweithwyr, Linda, wedi dweud wrtha i ei bod hi wedi dod i arfer â'u cerrig beddi nhw, ond bod llif cyson y milwyr o Irác yn ei thristáu yn fawr.

"Maen nhw jyst yn rhy ifanc," dwedodd hi wrtha i. "Mae'n amser iddyn nhw ddod adref cyn i ragor gael eu lladd."

Roedd gweithiwr arall, Nadim Muskovitch, wedi brwydro ym myddin Bosnia. Fe ddwedodd e wrtha i ei fod e'n ceisio osgoi darllen yr enwau roedd e'n eu naddu ar y cerrig. Roedd yn well ganddo beidio siarad am ryfel o gwbl.

"Dwi wedi bod mewn rhyfel, ac mae'n anodd i fi," medde fe. "Dwi wir ddim yn hoffi siarad am ryfel."

Rwy'n cofio gofyn iddo a oedd naddu'r enwau'n gwneud iddo deimlo'n falch o fod yn fyw.

"Oh yeah," medde fe. "I'm pretty much lucky, you know. I survived."

"Epitaphs arrive here by e-mail, they leave in meat packages. Driven overland to Arlington and other military cemeteries. Turnaround is quick. Almost a hundred a day. But on Monday as always, there'll be new orders for more." (BBC)

Pan y'ch chi'n meddwl bod cant o archebion yn dod i mewn i neud cant o gerrig beddi a bod y rhan fwya o'r cerrig beddi yna ar gyfer bechgyn un deg naw oed, mae wir yn eich taro chi.

Roedd y crwts 'ma mor ifanc.

Mae'r syniad o fod ar flaen y gad yn frawychus. I bobl un deg naw neu ugain oed, mae'n fwy brawychus fyth. Ro'n nhw mor ddibrofiad, ac wedi cael cyn lleied mas o fywyd ar y pwynt yna. Fel roedd y darn yna'n tystio, roedd cymaint ohonyn nhw yn marw.

A dyna'r gwrthgyferbyniad – stori am fusnes llwyddiannus

ar gefn rhywbeth dychrynllyd a thrist, rhywbeth i'w ddifaru.

Dwi'n credu bod ffeindio stori fusnes sy'n dweud cymaint am ddynoliaeth, cymaint am foesoldeb, am ryfeloedd a *geopolitics* yn eithriadol.

★

Rwy wedi holi pob Prif Weinidog ers Margaret Thatcher yn y gwledydd hyn.

Rwy wedi bod dafliad carreg oddi wrth neu hyd yn oed wedi siglo llaw o leiaf un o Arlywyddion yr Unol Daleithiau.

Rwy wedi holi lot fawr o gewri'r byd busnes, gan gynnwys y ddau fachgen ifanc od na'th greu Google.

Ond y gwir yw bod lot ohonyn nhw wedi'u hyfforddi mor drwyadl am sut i handlo'r wasg nes nad y'n nhw'n aml iawn yn dweud pethau mor gofiadwy â hynny. Mae lot o ddynion a menywod busnes yn llwyddiannus ofnadwy ond dy'n nhw ddim ar y cyfan yn bobl ddeniadol na huawdl. Mae rhywun fel Bill Gates, sydd wedi neud cyfraniad aruthrol i'r byd, ddim hyd yn oed yn gallu edrych i fyw llygad rhywun. Roedd e'n ffaelu mynegi'i hunan. Roedd e'n mwmblan. Roedd hi'n anhygoel meddwl bod y boi athrylithgar 'ma, sydd wedi dod â chyfrifiaduron i'n bywydau ni i gyd, yn y bôn, yn ffaelu edrych i'n llygaid i a dweud unrhyw beth diddorol.

Ro'n i wedi gweithio yn Rhufain cyn mynd i America, ar ôl cael llond bol ar jyst gohebu ar wleidyddiaeth yng ngwledydd Prydain. Ro'n i wedi mwynhau pob eiliad, ond daeth amser pan ddechreuais i ddyheu am ehangu gorwelion. Ro'n i eisiau edrych i feysydd eraill, a ges i antur fawr. Ges i ddysgu lot mwy am y byd, a dysgu am fyd busnes.

Dysgais i fwy am ddynoliaeth. Ro'n i'n gwybod o'r cychwyn 'mod i ddim eisiau eistedd yn y stiwdio'n egluro beth oedd yn mynd mlaen yn Wall Street – yn rhannol oherwydd doedd gen i ddim lot o ddiddordeb yn yr hyn oedd yn mynd mlaen yn Wall Street. Rwy'n gallu cael fy mhen i rownd y rhan fwyaf o bethe, ond doedd hynny ddim yn rhywbeth oedd yn dod yn naturiol i fi.

Straeon o gig a gwaed gyda dimensiwn moesol, sydd yn ymwneud â phobl go iawn ac yn dweud rhywbeth mwy am y byd ry'n ni'n byw ynddo fe, yw'r rhai sydd yn fy niddori i. Straeon sy'n dweud rhywbeth am y natur ddynol ar draws cenedlaethau sy'n mynd reit at galon pethe.

Ro'n i'n teimlo 'mod i wedi rhoi 'mys ar rywbeth wrth fynd i'r lle 'na yn Vermont.

Yn y pen draw, dwi'n meddwl hefyd y des i i feddwl bod rhyfel yn rhywbeth atgas. Dwi ddim yn heddychwr pur achos dwi'n meddwl, am resymau ry'n ni i gyd yn eu deall, fod 'na amgylchiadau pan mae e'r lleiaf drwg o ddau fyd. Ond mae unrhyw un sy'n meddwl bod mynd i ryfel yn ateb hawdd yn ffŵl. Gyda'r rhyfel yn Irác, ro'n i wedi bod ar flaen y gad wleidyddol yng nghefn awyren Tony Blair yn teithio gydag e i'r Azores pan na'th e gyhoeddi'r rhyfel gyda George Bush.

Ar ôl y cyfnod yma, dechreuais i deimlo nad o'n i eisiau bod yn newyddiadurwr rhagor.

Roedd gas gen i'r ffaith mai'r cwbl ro'n i'n neud oedd adrodd beth o'n nhw'n ei ddweud, pan o'n i eisiau codi'r meicroffon, mewn gwirionedd, a gweiddi ar bob un oedd yn gwylio bod y rhyfel yn anfoesol. Nid yn unig hynny, ond o bosib yn anghyfreithlon. Ro'n i eisiau dweud ei fod e'n mynd i wneud drwg ofnadwy i'r byd a'n bod ni i gyd yn mynd i dalu'r pris am ddegawdau o ran heddwch yn y Dwyrain Canol. Ar ben hynny, ro'n i eisiau datgan bod 'na beth wmbreth o bobl llawer llai ffodus na chi a fi yn mynd i farw.

Falle bod y stori yma yn Vermont wedi crynhoi beth oedd wedi bod yn cronni yndda i am sbel hir iawn. Fe grisialodd e'r teimladau i'r graddau, yn fuan iawn ar ôl dod 'nôl o'r Unol Daleithiau, 'nes i roi'r gorau i newyddiadura a chroesi'r ffin i wleidyddiaeth. Ro'n i eisiau bod yn rhan o rywbeth a chymryd penderfyniadau a helpu rhywun oedd ag agenda fel maer Llundain i drio neud rhywbeth i helpu pobl.

Yn yr ystyr yna roedd hi'n stori fawr i fi.

(Ar ôl y cyfweliad yma, dechreuodd Guto Harri gyfnod yn cyflwyno'i raglen ei hun ar sianel GB News. Roedd e'n edrych ymlaen at greu newyddiaduraeth gyhyrog, swnllyd, a defnyddio'r meicroffon bron fel pulpud. Ond byr fu ei gyfnod gyda'r sianel, wedi iddo gymryd y benlin mewn undod â mudiad Black Lives Matter. Daeth ei gyfnod yn cyflwyno'r *Byd yn ei Le* ar S4C i ben yn fuan wedi hynny hefyd, wedi iddi ddod yn amlwg y byddai'n mynd 'nôl at ei hen bennaeth, Maer Llundain, oedd bellach yn Brif Weinidog mewn trafferth wedi sgandal Partygate yn ystod pandemig COVID-19. Roedd e wedi 'croesi'r ffin' o newyddiaduraeth i wleidyddiaeth unwaith eto.)

GWYN LOADER

Sgŵp

"Er gwaetha'r celwydd, mae'n dal i obeithio cael aros yma ym Mhrydain."

'Ahmer Rana'

Y Byd ar Bedwar, S4C

21 Chwefror 2011

Hon oedd un o'r rhaglenni mwyaf anhygoel i fi weithio arni.

Na'th hi effeithio arna i.

Falle'i fod e'n swnio'n rhyfedd i ddweud hynny.

Pan ry'ch chi'n meddwl am rywbeth yn effeithio ar newyddiadurwyr, chi'n meddwl am fynd i ryfel, neu i rywle lle mae 'na drychinebau naturiol ofnadwy, neu rywle ry'ch chi'n siarad â rhywun sy wedi colli pob un aelod o'i deulu ac ati. Mae hynny'n effeithio ar rywun, wrth gwrs. Ond beth oedd gyda ni fan hyn oedd stori un dyn, a na'th y rhaglen yma newid cwrs ei fywyd e.

Rwy'n credu taw dyma oedd y rhaglen gyntaf 'nes i i

Y Byd ar Bedwar yn gyfan gwbl ar ben fy hunan. Ro'n i'n eithaf ifanc ar y pryd, 24 oed, ar ddechrau fy ngyrfa.

Roedd ffoaduriaid a mewnfudo yn bwnc llosg bryd hynny. Diwedd 2010, dechrau 2011 oedd hi, ac roedd y BNP wedi bod yn amlwg yn yr etholiad Ewropeaidd y flwyddyn gynt yn 2009. Roedd ymgyrch wedi datblygu yng Nghaerfyrddin i gefnogi cais ffoadur ifanc i aros yn y Deyrnas Unedig. Roedd Cymry Cymraeg yn rhan o'r peth a'r pwnc yn un llosg, ac ro'n i'n teimlo dylen i weld beth oedd sail ymgyrch y bachgen ifanc 'ma.

I roi chydig bach o'r cefndir:

Roedd Ahmer Rana yn ddyn ifanc o Bacistan. Roedd e'n dweud ei fod e'n 17 oed a'i fod wedi dod i Brydain i ffoi rhag gelynion ei deulu. Roedd y Groes Goch wedi bod yn chwilio am ei deulu yn Lahore ers dwy flynedd, ond heb gael lwc. Roedd e wedi setlo yn Nant-y-caws, ger Caerfyrddin, gyda'i rieni maeth ac yn foi poblogaidd. Roedd e'n chwarae criced yn lleol ac yn boblogaidd yn yr ysgol. Roedd 4,000 o bobl leol wedi llofnodi deiseb yn galw ar y Swyddfa Gartref i beidio alltudio Ahmer yn ôl i Bacistan. Roedd yr Aelod Seneddol lleol, Jonathan Edwards, yn cefnogi'r ddeiseb ac roedd 'na dipyn o sŵn o gwmpas yr ymgyrch.

Roedd e'n gyfle i ni edrych ar bwnc mewnfudo drwy stori un dyn.

A bod yn onest, do'n i ddim yn drwgdybio Ahmer

o gwbl ar y dechrau. Rwy dros ddeng mlynedd yn hŷn erbyn hyn, a falle bydden i'n teimlo'n wahanol petawn i'n dechrau'r stori yna nawr. Ond ar y pryd ro'n i'n eitha naïf. Roedd 'na ryw deimlad 'da fi, achos maint yr ymgyrch, fod y boi 'ma'n cael ei drin yn anghyfiawn.

Roedd y Swyddfa Gartref wedi dweud wrtho fe bod rhaid iddo fynd 'nôl i Bacistan a bron 'mod i'n teimlo y gallen i ei helpu e, drwy ymchwilio a phrofi ei fod e'n dweud y gwir. Fel newyddiadurwr, mae'n rhaid i chi fod yn ddiduedd. Ro'n i'n ymwybodol o hynny. Er nad o'n i'n mynd i mewn i'r stori gydag agenda un ffordd na'r llall, os dwi'n onest, yng nghefn fy meddwl i, dyna ro'n i'n ei feddwl. Ond fe drodd pethau mas yn bur wahanol i hynny, wrth gwrs.

Roedd yr ymgyrch wedi datblygu lle roedd Ahmer Rana yn byw, yng Nghaerfyrddin, a bues i ar fws mini gyda chriw o bobl leol, ddeuddydd cyn Dolig. Dechreuon ni ben bore o Gaerfyrddin a theithio lan i Lundain i gyflwyno'r ddeiseb o 4,000 o lofnodion i'r Swyddfa Gartref. Bues i'n siarad â'i ffrindiau ar y bws ac wedyn mynd ati i ffilmio tipyn gyda'r criw oedd yn ymgyrchu. Bues i bartïon 18 oed gyda'r criw i gyd. Ro'n nhw'n ffrindiau clòs, ac es i gyda nhw i'r clwb criced lle'r oedd Ahmer yn chwarae. Roedd e'n gricedwr da!

Ro'n i wedi dilyn ei stori ac fe 'nes i ei groesholi e rywfaint, achos roedd rhai manylion damaid bach yn annelwig. Doedd e ddim yn gallu dweud wrtha i pwy oedd gelynion ei deulu ym Mhacistan, er enghraifft. Roedd e'n dweud bod ei dad yn berchen siop, ond nad oedd enw ar y siop 'ma, ac ro'n i'n gweld hynny 'bach yn rhyfedd. Fe holes i fe am hynny ond roedd e'n fy sicrhau i fod 'na ddim enwau ar siopau ym Mhacistan ac ro'n i falle, eto, ychydig yn naïf, yn cymryd ei air e.

Ta beth, y bwriad oedd bo' fi'n mynd mas i Bacistan a thrio olrhain ei hanes. Roedd ganddo fe dystysgrif geni, ac roedd e'n dweud bod 'na gofnod o hynny yn Lahore. Ond, roedd tensiynau ar y pryd rhwng llywodraethau'r Deyrnas Unedig a Phacistan. Roedd y Deyrnas Unedig yn cyhuddo Pacistan o guddio Osama bin Laden a'r Taliban ac ati. Felly, ges i ddim mynd.

Beth naethon ni oedd cyflogi cynhyrchydd lleol oedd wedi gweithio i ITV o'r blaen. Wrth gwrs, ITV sy'n cynhyrchu *Y Byd ar Bedwar* i S4C. Roedd e'n foi da, Shahid Qazi – newyddiadurwr a chynhyrchydd da iawn. Buodd e'n neud ymholiadau ar ein rhan ni. I ddechrau, roedd pethau'n addawol i Ahmer. Fe ffeindiodd Shahid y dystysgrif geni, ond wedyn aeth pethau chydig bach yn annelwig eto.

Aeth Shahid i'r ysgol roedd Ahmer yn dweud ei fod yn ei mynychu. Ond doedd dim cofnod a dim cof gan unrhyw un o'r athrawon amdano fe. Aeth i'r ardal lle'r oedd siop ei dad, New Shad Bagh yn Lahore, a ffaelu ffeindio'r siop.

Buodd e'n holi pobl ar y stryd, a ffilmio hyn i gyd wrth fynd ar y daith, a doedd neb ar y strydoedd yn yr ardal honno fel petaen nhw'n gwybod am y bachgen 'ma.

Dechreues i amau wedyn. Doedd pethau ddim fel petaen nhw'n adio lan. Ond wedyn, doedden nhw ddim yn gwrthbrofi ei stori chwaith achos doedd dim digon o fanylion. Ro'n i mewn 'bach o benbleth, ac fel mae hi 'da rhaglenni newyddiadurol, roedd 'da ni ddedlein.

Roedd y rhaglen ar fin mynd mas. Ro'n ni wedi cyrraedd rhyw bwynt, holi rownd, a cheisio profi neu wrthbrofi ei stori e gymaint â phosib, ond dyna lle ro'n ni'n sefyll.

★

Felly, 'nôl yng Nghymru, ro'n i wedi dechrau golygu'r rhaglen ac yn siarad â'r golygydd, Geraint Evans, a'r unig beth ro'n ni'n gallu ei neud oedd adrodd y stori mor bell ag ro'n ni wedi cyrraedd. Felly, dyna beth ro'n i ar ganol ei neud. Ro'n ni wedi bod yn golygu am ddeuddydd. Mae'n cymryd rhyw bedwar diwrnod i olygu rhaglen yn llawn fel arfer. Bryd hynny ro'n ni'n golygu *Y Byd ar Bedwar* tan y diwrnod roedd y rhaglen yn cael ei darlledu.

Ond dros y penwythnos, na'th Shahid Qazi ffonio ac anfon tecsts. Rwy'n credu ei fod e'n genedlaetholwr a ddim yn rhy hoff o'r syniad bod rhywun wedi ffoi i'r Deyrnas Unedig rhag unrhyw beryglon ym Mhacistan. Dyna'r argraff ro'n i'n ei gael, ta beth. Roedd e'n awyddus iawn i fynd 'nôl i New Shad Bagh i holi ymhellach. Wrth gwrs, roedd hynny'n golygu cost i ni fel rhaglen, felly roedd rhaid i fi siarad â'r golygydd eto. Beth ddwedodd Geraint oedd mai pwrpas newyddiaduraeth yw cyrraedd y gwir, a do'n ni ddim yn teimlo ein bod ni wedi cyrraedd hynny'n llwyr. Ro'n ni mewn rhyw dir anial lle do'n ni ddim yn gwybod beth oedd beth. Roedd y rhaglen i fod i fynd mas ar y nos Fawrth, felly ar y dydd Sadwrn na'th Geraint gytuno a dweud, "Fe gei di ddweud 'tho fe bod 'da fe'r penwythnos i gasglu unrhyw beth arall."

A dyna beth 'nes i.

Ges i alwad wedyn ar y dydd Sul, os dwi'n cofio'n iawn, a Shahid Qazi yn dweud, "Mae 'da fi newyddion i ti. Mae'r boi'n dweud celwydd."

Roedd e rywsut wedi ffeindio tŷ mam Ahmer Rana. Roedd hi'n amlwg mai tystysgrif geni ffug oedd 'da fe, ond roedd enw ei ewythr go iawn ar y dystysgrif geni. Roedd hynny wedi arwain Shahid i dŷ mam Ahmer. Fe holodd e hi, "Ai dyma dy fab?"

Roedd e wedi cael llun Ahmer gen i. Na'th hi ddweud, "Ie".

"Ife Ahmer yw ei enw e?" gofynnodd e wedyn.

"Nage," medde hi. "Daniyal Shahzad yw ei enw fe, mae e flwyddyn yn hŷn na beth mae e wedi bod yn ei ddweud wrthoch chi."

Roedd ei holl stori e'n gelwydd.

Roedd e wedi hedfan i Heathrow i ddod i'r Deyrnas Unedig, ac roedd yr holl stori yn ffug. Roedd e moyn gwell bywyd ac roedd e wedi dyfeisio'r celwydd 'ma. Wedyn, roedd 'da fi'r dilema beth o'n i'n mynd i'w wneud nesaf.

Do'n i ddim wir yn gwybod beth i feddwl achos dwi'n credu ro'n i wedi rhyw fath o deimlo'i fod e'n dweud y gwir. Roedd e'n fachgen hoffus iawn ac i'w weld yn eithaf didwyll. Ro'n i wedi treulio lot o amser yn ei gwmni fe, fel sy'n ddisgwyliedig pan chi'n neud y math 'ma o raglen.

Ro'n i wedi bod i'w ysgol e, i'r clwb criced, ac wedi trio adeiladu ymddiriedaeth. Ro'n i'n teimlo 'mod i wedi dod i'w nabod e'n weddol a nabod ei rieni maeth e'n eithaf da. Ar ben hynny, ro'n i wedi siarad â chymaint o bobl oedd yn ei gefnogi e – ei rieni maeth, yr ysgol, yr Aelod Seneddol lleol a phobl yn y gymuned. Mae newyddiadurwr i fod i aros yn ddiduedd bob tro, ond falle ges i'n rhwydo i feddwl yr un peth â nhw ychydig bach. Rwyt ti'n dod i lico pobl, achos pobl ydyn ni hefyd yn y pen draw. Chi'n trio cadw pellter wrth gwrs, ond roedd 'na rywbeth hoffus iawn am y bachgen 'ma.

Ond nawr, ro'n i wedi cael y wybodaeth 'ma, felly beth o'n i'n mynd i'w neud nesaf?

Yr unig beth oedd rhaid i fi neud oedd ffonio Ahmer a dweud beth oedd y dyn 'ma wedi ffindo mas ym Mhacistan. Roedd hi'n alwad anodd achos ro'n i'n gwybod bod y dyn yn dweud y gwir, felly roedd hi lan i Ahmer i gadarnhau hynny mewn ffordd. Gwadu na'th e i ddechrau, a gorffen yr alwad, felly roedd rhaid i fi ei ffonio fe'n ôl.

Yr ail dro, dywedodd e fod e'n mynd i ladd ei hunan.

Roedd hynny yn anodd. Mae 'na bwysau anferthol arnot ti wedyn – roedd rhywun yn mynd i ladd ei hunan achos rhywbeth rwyt ti wedi'i ddweud wrtho fe. Felly tries i ffonio'i rieni maeth. Doedd dim ateb ganddyn nhw. Tries i ffonio dirprwy brifathro'r ysgol oedd wedi bod yn ganolog i'w ymgyrch e ac oedd yn dad i'w ffrind gorau fe yn yr ysgol, Will Carter, ac roedd e lawr yng Nghernyw. Roedd Allan Carter yn dod o Gernyw ac wedi mynd lawr am y penwythnos, felly doedd e ddim rownd y lle.

Do'n i ddim yn gwybod ble i droi wedyn.

Beth 'nes i oedd ffonio golygydd y rhaglen a dweud bod 'da fi sefyllfa anodd: 'mod i ddim moyn bod yn gyfrifol am rywbeth ofnadwy yn digwydd i'r bachgen, beth bynnag roedd e wedi'i ddweud o ran y gwir neu gelwydd.

Chwarae teg, roedd y golygydd yn byw yn y gorllewin, ac fe aeth e draw i dŷ'r rhieni maeth. Ro'n i'n gwybod bod Ahmer yna ar ei ben ei hunan, yn ddyn ifanc, flwyddyn yn hŷn na beth oedd e wedi'i ddweud, ond yn dal ddim ond yn 18 oed. Aeth y golygydd draw a chael gair iawn gyda Ahmer a sicrhau ei fod e'n iawn.

Yn y diwedd, na'th Ahmer gyfaddef bod ei stori yn gelwydd a chytuno i neud cyfweliad arall 'da fi ar gamera yn ymddiheuro. Roedd e'n dipyn o beth iddo fe i neud, chwarae teg.

Eto, dwi'n cofio bod y cyfweliad yn un anodd iawn i'w neud. Fe deithies i lan yn y car gyda'r dyn camera, a'r ddau ohonon ni yn ffeindio'r sefyllfa'n wirioneddol yn anodd. Mae pethau fel hyn yn neud i ti gwestiynu ai dyma yw'r yrfa ti moyn, achos dyw e ddim yn beth neis. Sai'n credu 'mod i erioed wedi cael sgwrs mor lletchwith 'da unrhyw un. Ond chwarae teg iddo fe, buodd e'n onest, ac ymddiheuro.

Licen i feddwl mai er mwyn ymddiheuro wrth yr holl bobl oedd wedi'i gefnogi na'th e'r cyfweliad 'ny. Ond, mewn ffordd, doedd dim dewis 'da fe chwaith, achos ro'n i'n mynd i ddarlledu beth oedd y gwir. Bydde fe wedi edrych yn waeth os na fydde fe wedi dweud unrhyw beth, am wn i. Ond dwi'n dal i feddwl ei fod e'n beth dewr iawn iddo fe neud, achos mae'n siŵr, o fewn y cefnogwyr 'na, bydde rhai wedi troi yn ei erbyn e.

Dwi'n gwybod na'th criw gweddol fawr stico gydag e, a dweud, 'Wel, mae e wedi bod 'ma am sawl blwyddyn nawr er mwyn trio gwella'i fywyd. Mae e wedi ymdoddi i'r gymuned ac ychwanegu i'r gymuned.' Roedd Ahmer yn foi galluog, yn neud yn dda yn yr ysgol ac yn weithgar o fewn y gymuned. Roedd rhai'n teimlo y dyle fe gael yr hawl i aros er bod e wedi mynd yn groes i'r rheolau.

Ond licen i feddwl bod elfen ohono fe moyn ymddiheuro go iawn.

Dwi'n cofio pan ffones i ddirprwy brifathro'r ysgol oedd yn dad i'w ffrind gore, aeth e'n wallgof gyda fi. "Beth yffarn ti'n meddwl ti'n neud, Gwyn? Pam wyt ti'n neud hyn?" Roedd hynny yn anodd, achos roedd e wedi'n helpu i lot gyda'r rhaglen. Roedd e'n ddyn hoffus ac ro'n ni'n dod mlaen yn dda.

Doedd yr Aelod Seneddol lleol hefyd ddim yn rhy hapus, ond ddim yn gwybod beth i ddweud chwaith. Wedi'r cyfan, roedd Ahmer yn ddyn ifanc bregus. Roedd e wedi dod i'r Deyrnas Unedig yn 17 oed ac wedi creu bywyd newydd iddo'i hunan. Roedd e'n brofiad unig iawn, beth bynnag yr amgylchiadau. Dwi'n siŵr bod rhai o'r cefnogwyr yn gweld hynny, a hefyd yn gweld fy mod i, fel newyddiadurwr, wedi sbwylio bywyd y crwt.

Ar y nos Fawrth, darlledwyd y rhaglen. Y bore wedyn, ro'n i'n teimlo yn eitha fflat. Roedd y rhaglen wedi bod yn broses anodd.

Rhywbeth fel wyth o'r gloch ar y bore dydd Mercher ges i alwad ffôn a 'nes i feddwl ddwywaith cyn ei ateb e. Roedd 'na gyfreithwyr gweddol uchel yn Llundain wedi bod yn cefnogi Ahmer, ac un ohonyn nhw oedd ar ben arall y ffôn. Pan na'th y bargyfreithiwr gyflwyno'i hunan, ro'n i wedi ofni'r gwaethaf. Ond, clod oedd 'da fe.

"That's one of the most astounding pieces of journalism I've ever seen."

Ro'n i mewn sioc, achos dwi ddim yn meddwl bod

hynny'n wir am un peth. Ond roedd rhywbeth eitha neis bod rhywun oedd wedi cefnogi ymgyrch Ahmer wedi ymateb fel'na i'r rhaglen. Falle'i fod e'n cydymdeimlo â'r sefyllfa anodd ro'n i ynddi.

Ta beth, ar ôl hynny, roedd Ahmer yn dal i ymgyrchu i drio cael hawl i aros. Ond, wrth gwrs, doedd hynny ddim yn debygol iawn o ddigwydd.

Un dydd, ges i alwad ffôn wrth swyddogion y Swyddfa Gartref, achos beth oedd hefyd wedi dod i'r amlwg oedd bod tad Ahmer wedi dod gydag e pan hedfanodd e draw. Roedd y tad yn byw yn Llundain, ac roedd y swyddogion moyn trefnu cyfarfod 'da fi. Es i westy'r Copthorne oedd drws nesa i swyddfeydd ITV ar y pryd, yng Nghroes Cwrlwys, a beth o'n nhw moyn oedd unrhyw wybodaeth bellach oedd 'da fi am dad Ahmer. Ond doedd 'da fi ddim byd iddyn nhw ac felly, hyd heddiw, dwi ddim yn siŵr beth ddigwyddodd i dad Ahmer.

Ond cafodd Ahmer, neu Daniyal Shahzad ddylen i ddweud, ei hala'n ôl ar awyren i Bacistan.

Aeth y stori i bobman. Roedd hi'n stori'r BBC yn genedlaethol ac yn lot o'r papurau, fel y *Daily Mail*. Roedd e'n fêl ar eu bysedd nhw. Roedd hi'n stori fawr achos bod yr ymgyrch wedi bod yn fawr. Dwi'n cofio, ar y bws mini 'na ar y ffordd i Lundain, roedd Ahmer yn cael ei gyfweld gan Radio 5 Live a rhai eraill. Er bod stori Ahmer yn fawr eisoes, *Y Byd ar Bedwar* gafodd y sgŵp.

Ond roedd e'r sgŵp gwaethaf dwi erioed wedi'i gael!

Wedi i'r rhaglen gael ei darlledu, ro'n i'n poeni am ymateb y rhai oedd wedi cefnogi Ahmer. Nid yn unig ei gefnogi ond wedi fy helpu i neud y rhaglen hefyd. Ro'n nhw wedi cyfrannu a helpu i sortio bo' ni'n cael ffilmio mewn ambell le ac ati.

Ro'n i'n poeni am sbel ar ôl 'ny hefyd, achos yn amlwg ar ôl y rhaglen naethon nhw ddim cysylltu â fi yn uniongyrchol. Flynyddoedd wedyn, 'nes i ddigwydd taro mewn i ffrind gorau Ahmer, Will, a'i dad, y dirprwy brifathro Allan Carter, mewn gêm rygbi. Do'n i ddim yn gwybod a ddylen i fynd draw i siarad â nhw ai peidio achos ro'n ni wedi gadael pethau ar delerau eitha gwael. Ond, chwarae teg, fe ddaethon nhw draw ata i, a chael sgwrs iawn. Ro'n i'n falch o'r cyfle i gael sgwrs, achos ry'ch chi'n effeithio ar fywydau pobl. Bues i'n onest a dweud wrthyn nhw 'mod i wedi ffeindio'r holl sefyllfa yn anodd, a naethon nhw dderbyn mai dim ond neud fy swydd o'n i.

Dwi ddim wedi siarad ag Ahmer ers rhai blynyddoedd, ond naethon ni siarad ar ôl iddo fe gyrraedd 'nôl i Lahore. 'Nes i drio cadw cysylltiad ag e. Sai'n gwybod a fydd e'n maddau i fi, ond fe fuodd e'n hala negeseuon ata i am sbel fach.

Na'th y profiad ddysgu lot i fi am beth yw newyddiaduraeth, sef cyrraedd y gwir. Allwch chi ddim bod ag unrhyw fath o agenda. Ro'n i'n gwybod hynny i gyd, ond falle o'n i'n berson delfrytgar, yn meddwl 'mod i ar grwsâd a bod newyddiaduraeth yn gallu helpu i brofi bod pobl yn gallu cael cam. Dwi'n credu taw dyna pam ges i 'nhynnu mewn i newyddiaduraeth yn y lle cyntaf.

Ond roedd neud y rhaglen 'ma yn wers i fi bod dim pwrpas i chi gael agenda, na syniad o beth fydd y stori yn y pen draw.

Roedd hi'n dangos grym newyddiaduraeth, falle, ond hefyd, ro'n i'n gorfod byw gyda chanlyniadau hynny wedyn, gan wybod 'mod i wedi strywo beth oedd y bachgen moyn yn ei fywyd. Ac fe na'th hynny gael effaith arna i.

MAXINE HUGHES

Rhyfel diwylliannol America

"Dydyn nhw ddim rili'n deall pam mae pobl yn pleidleisio dros Trump."

Trump, America a Ni
S4C
Hydref 2020

Ro'n i wedi byw yn America drwy holl gyfnod Donald Trump a thrwy holl gyfnod Covid.

Fel rhywun sy'n dod o Gymru ond yn byw ac yn magu plant yn America, ro'n i eisiau cyfleu'r stori fel rhywun sy'n cael ei effeithio gan beth sy'n digwydd yn yr etholiad, ond hefyd drwy lygaid Cymreig. Ro'n i'n teimlo, pan mae gohebydd yn hedfan i mewn i'r wlad am bythefnos, dyw'r gynulleidfa dramor byth yn cael y stori iawn. Ro'n i'n teimlo rhyw fath o gyfrifoldeb i wneud rhywbeth oedd yn mynd dan groen America i'r gynulleidfa Gymraeg.

Felly dyna sut 'nes i fynd i mewn i ffilmio rhaglen ddogfen *Trump, America a Ni* i S4C. A bod yn onest, dyna sut dwi'n mynd i mewn i bob darn dwi'n neud – ond yn enwedig gyda'r rhaglen yna.

O'dd o'n brofiad gwirioneddol wahanol i fyw drwy gyfnod Trump. Dwi'n meddwl o'n ni i gyd fel newyddiadurwyr wedi cael ein dal yn adrenalin stori'r dyn yma. O'dd 'na rywbeth yn digwydd ar strydoedd America oedd yn wahanol iawn i beth ro'n i wedi ei weld o'r blaen.

Roedd pobl yn sôn am y cyfnod yna fel rhyw fath o ryfel diwylliannol, ac ro'n i'n gallu teimlo hynna.

Pan mae pawb yn dechrau ymgyrchu ar gyfer etholiad maen nhw'n sôn am y *battlegrounds*, ac ro'n i'n dechrau clywed y gair yna o hyd – *battleground*, *battleground*... Wrth gwrs, mae'n golygu llefydd fel Pennsylvania, y llefydd sy'n gallu colli neu ennill etholiad i Arlywydd. Ond ro'n i'n gweld *battleground* fel y strydoedd yn America. Roedd 'na frwydrau ym mynd ymlaen ar lefel Washington, ar lefel wleidyddol, ac roedd 'na frwydrau hefyd yn digwydd ar strydoedd America. A dyna lle'r oedd y frwydr go iawn am yr etholiad yn digwydd.

Beth ro'n i eisiau ei wneud oedd cynnwys digon o gymeriadau gwahanol i allu dangos, mewn ffordd resymol, pam mae pobl yn meddwl yn y ffordd maen nhw'n meddwl. Felly mi es i ar daith drwy daleithiau America a mynd â boi ifanc o'r Gaerwen, Ynys Môn, efo fi. Mae Jason Edwards yn byw yn Pittsburgh, Pennsylvania, erbyn hyn, yn magu teulu gyda'i wraig, Kenie, a'i ddwy ferch fach, Eluned ac Edie. Roedd o'n hyfforddwr pêl-droed oedd newydd ddechrau gwefan, Y Sgwrs Caled, ac eisiau trafod y pynciau anodd yn ein cymdeithas ni. Felly ro'n i eisiau ei helpu i blymio'n ddyfnach i'r holl drafodaethau oedd yn digwydd yn America ar y pryd.

Wrth gwrs, wnaethon ni siarad efo rhai pobl oedd yn swnio'n fwy eithafol na rhai eraill ar hyd ein taith.

"There's no such thing as climate change," meddai un ffermwr yn San José, California, wrthon ni. Yn San Diego wedyn, dywedodd hen ffrind o deulu Latino fod rhethreg Donald Trump yn gwneud i fewnfudwyr swnio fel troseddwyr sy'n treisio pobl. Ond yn Miami, roedd 'na Latino arall yn dweud y byddai Trump yn 'gwella popeth' yn yr economi. Wedyn, roedd ymgyrchwraig Black Lives Matter o Minneapolis wedi dweud wrtha i nad oedd hi'n nabod ei diwylliant ei hun a sut mae pobl ddu wedi cael eu twyllo gydol eu bywydau.

"I need to advocate for my people," dywedodd wrtha i. "Pro-me is not anti-you at all."

Roedd o'n bwysig iawn i fi i glywed gan y chwith a'r dde, a cheisio dal y lleisiau yna sy'n cael eu mynegi yn gwbl rhesymol. Mae gan bawb resymau pam eu bod nhw'n meddwl yn y ffordd maen nhw'n meddwl.

Ond roedd hi'n anodd cael cyfweliadau gyda phobl oedd â theimladau cryf ar bob pegwn. Mae 'na deimlad yn

America, ac mae'n waeth erbyn hyn, fod pobl ar y chwith ddim yn trystio'r bobl ar y dde a *vice versa*. Yn enwedig pobl ar y dde. Os nad ydyn nhw'n dod o gyfryngau fel Fox neu Newsmax, sydd ar y dde, maen nhw'n meddwl bod pwy bynnag sy'n gofyn am gyfweliad â nhw eisiau eu dal nhw allan. Maen nhw'n ei alw'n 'Gotcha interviews'. Pan wyt ti'n dechrau siarad efo nhw, y peth cyntaf maen nhw'n ei ofyn ydy, "Ydy hwn yn 'Gotcha interview'?" Mae'n cymryd lot o amser i'w perswadio nhw bod ti isio siarad efo nhw a rhoi platfform iddyn nhw i siarad am eu teimladau.

Dydw i ddim yn un o'r newyddiadurwyr sy'n meddwl bod 'rhoi platfform' yn ddadleuol. Mae lot o bobl yn meddwl fel'na, ond dwi'n meddwl mai dyna beth sydd ar goll mewn cymdeithas ar hyn o bryd. Dyna pam mae gynnon ni wlad sydd wedi polareiddio, wedi ei hollti i lawr y canol, achos dydy pobl ddim yn gadael i bobl siarad a dweud eu barn.

Dwi'n cytuno efo pobl ar y dde sy'n dweud bod 'na *cancel culture* – dwi'n meddwl bod hynna'n wir. Os nad ydan ni'n gallu gwrando ar sylwadau pobl sydd â barn wahanol i ni ar y cyfryngau, mae'n broblem gymdeithasol enfawr!

Os ydan ni'n gallu gwneud ffilm sy'n cyfleu barn amrywiol mewn ffordd resymol, sensitif, mae hynny'n beth da.

Mi gymerodd hi fisoedd o drafod, ond llwyddais i gael cyfweliad â Brett Surplus, Americanwr balch oedd o blaid Trump ac o blaid gynnau. Roedd o'n byw yn Coeur d'Alene yn nhalaith Idaho. Gyda'i wn yn ei felt, mi aeth o â fi a Jason i lawr y brif stryd a disgrifio sut oedd grwpiau o ddynion arfog wedi meddiannu'r dref ar anterth protestiadau Black Lives Matter.

"The only reason we were here," meddai, "was to make sure nothing got destroyed and there was no violence."

Wedyn, mi aeth o â Jason a fi i goedwig i gael gwers saethu. A dweud y gwir, ddim fy ngwers gyntaf i oedd hi – ro'n i arfer bod yn yr RAF. Ond, i gael pobl i dy drystio ti, ti'n gorfod dangos iddyn nhw bod ti ddim uwchlaw nhw ac yn edrych i lawr arnyn nhw. I wneud hynna, rwyt ti'n gorfod bod gyda nhw a byw yn eu croen nhw, a dyna be dwi'n neud.

Dwi wedi bwyta *catfish sandwiches* gyda milisia yn Georgia ac wedi bod allan ar y *front lines* yn Portland gyda rhai o griw Antifa. Dyna be ti'n gorfod neud os ti isio bod ynghanol y stori a mynd dan groen y stori. Hyd yn oed os nad ydw i'n cytuno efo nhw a ddim yn gyfforddus efo'r peth, dwi'n meddwl ei bod hi'n bwysig i fi ddeall, ac i bobl weld fy mod i'n eu parchu nhw ac yn rhoi cyfle iddyn nhw siarad.

Y gwir yw y baswn i'n dweud celwydd taswn i'n dweud 'mod i'n gyfforddus gyda phobl yn cerdded rownd efo gynnau. Dwi ddim yn teimlo'n gyfforddus yn magu plant mewn gwlad lle maen nhw'n gorfod neud dril i ddysgu sut i ddelio gyda rhywun yn dod i'r ysgol a dechrau saethu. Mae'n horibl. Does neb eisiau neud hynna. Dwi wedi cael fy magu yng Nghymru, dwi ddim yn gyfarwydd efo pethau fel'na. Ond hyd yn oed os nad ydw i'n gyfforddus efo fo, mae'n rhaid i fi fod yn gyfarwydd efo fo ac mae rhaid i fi o leiaf ddechrau deall obsesiwn pobl efo gynnau. Mae'r Second Amendment yn un o'r pethau pwysicaf yn y wlad. Dyna fel mae.

Y tro cyntaf i ti saethu AR15, mae'n codi ofn arnat ti. Mae o'n wn mawr ac mae 'na dipyn o *kick-back*. Ond dwi wedi neud hyn cwpwl o weithiau erbyn rŵan ac mae'n iawn; mae jyst yn rhywbeth dwi'n neud.

Na'th Jason ffrîcio allan ar un pwynt. Doedd o erioed wedi saethu gwn o'r blaen ac mi ofynnais iddo fo sut brofiad oedd o.

"Absoliwtli nyts," medda fo.

Roedd Brett yn gwrando'r tu ôl i ni.

"He didn't say that the militia was nuts, right?" gofynnodd o.

"I said the experience was nuts," atebodd Jason yn syth.

"I just wanted to make sure," dywedodd Brett. "'Cause you never want to say that with guys with guns."

Fe wnaethon ni chwerthin, a na'th Jason ddweud, "That point definitely stands."

Dwi'n meddwl 'nawn ni gofio'r foment yna am amser hir!

Ar ôl Idaho, mi aethon ni i Portland lle'r oedd protestiadau treisgar wedi bod ers misoedd. Mae Portland yn ddinas las, Ddemocrataidd iawn, ond mae gwleidyddiaeth y dalaith yn cael ei rhannu gan y Cascade Mountains. Yn y gogledd, yn nhalaith Washington ac Idaho, mae'n goch y Gweriniaethwyr, ac i'r de, mae gen ti California, sydd yn las eto. Felly, mae 'na ddeuoliaeth fawr yn y dalaith.

Pan gafodd y dyn du George Floyd ei ladd gan blismon gwyn, mi daniodd brotestiadau ar draws America. Ond yn Portland beth oedd gen ti oedd mudiad cryf gwrth-Ffasgaidd, a hefyd bobl o'r tu allan oedd yn dod i mewn o'r dde eithafol i ymladd yn eu herbyn nhw.

Yn Portland mae'r heddlu wastad wedi ymateb yn llawdrwm. Yn Portland na'th y sefyllfa droi'n frwydr rhwng criw Antifa a'r heddlu. Roedd y sefyllfa'n wahanol yno i bobman arall: roedd gen ti ddadleuon yn erbyn hiliaeth, ond hefyd yn erbyn yr heddlu, fel *defund the police*, a phethau doedden ni ddim wir yn eu gweld mewn llefydd eraill. Roedd o fel math o ficrocosm o asgell dde eithafol yn erbyn yr asgell chwith eithafol.

Roedd tua 90% o boblogaeth Portland yn bobl wyn; felly, dyna oedd mwyafrif y protestwyr, a doedd o ddim wir yn teimlo fel protestiadau eraill BLM.

Roedd hi'n teimlo'n beryglus iawn.

Mae 'na sgìl i ohebu ar brotestiadau. Mae gen i ddyn camera da iawn, Tim Myers. Yn Washington mi gafodd ei daro gan yr heddlu a wnaethon nhw chwalu ei gamera. Mae gynno fo lot o brofiad mewn sefyllfaoedd fel'na. 'Dan ni'n dau wedi cael hyfforddiant *hostile environment*. Ti'n gorfod cadw'n *calm* a dysgu sut i symud o gwmpas mewn protestiadau, ac roedd y ddau ohonon ni'n gofalu am Jason y tro yma – oedd heb brofiad o gwbl mewn sefyllfa o'r fath.

Yn Portland, roedd yn dechrau teimlo'n wirioneddol anodd gan fod y mudiad gwrth-Ffasgaidd wedi sylwi bod gan y cyfryngau hawl i fynd i'r llinell flaen heb gael llawer o drafferth gan yr heddlu. Felly mi ddechreuodd y protestwyr wisgo *flak jackets* gyda 'PRESS' arnyn nhw, hyd yn oed os nad oedden nhw'n aelodau o'r wasg. Roedd yr heddlu'n gweld beth oedd yn digwydd ac yn sydyn roedd y cyfryngau i gyd yn darged.

Na'th hynny newid pethau a neud i bethau deimlo wir yn beryglus. Do'n i ddim yn gyfforddus yn y sefyllfa yna. Fel arfer, mewn protestiadau, dwi'n teimlo'n saff os dwi'n gwisgo siaced 'PRESS'. Ond ar ôl Portland do'n i ddim yn teimlo'n saff o gwbl. Pan oedd yr heddlu'n dod allan, roedden nhw'n edrych fel petaen nhw'n gwisgo siwtiau allan o'r *Terminator*, gyda phadiau a masgiau dros eu hwynebau, ac roedd pob un yn edrych yn fawr iawn. Roedden nhw'n cario batons a jyst yn taro pobl, gan gynnwys pobl y wasg.

Roedd o wir yn beryglus!

Dwi wedi cael fy nal sawl gwaith rhwng y ddwy ochr. Ro'n i yn Georgia un tro lle'r oedd protest yn mynd mlaen gyda llawer o milisia gwahanol yn ogystal ag Antifa. Beth sy'n bwysig i'w gofio yw bod y ddwy ochr yn cario gynnau. Dwi ddim yn sôn am *pistols*, ond gynnau reiffl semi-awtomatig AR mawr.

Ro'n i gyda Tim, y dyn camera, a na'th rhywun dynnu reiffl allan, ac yna na'th pawb ar y ddwy ochr dynnu eu gynnau allan. Ro'n ni reit yn y canol. Roedd o'n ofnadwy! Felly roedd rhaid i ni jyst symud allan yn gyflym iawn. Mae'r digwyddiad yna'n sefyll allan fel sefyllfa wir beryglus.

★

Does dim ofn y grwpiau eithafol arna i o gwbl. Dwi wedi bod yn *embedded*, ac wedi treulio lot fawr o amser efo arweinydd y Proud Boys, Enrique Tarrio. Mae'r Proud Boys yn grŵp asgell dde eithafol sy'n erbyn Antifa. Maen nhw'n rhan o fudiad MAGA Donald Trump, a mudiad diwylliannol sydd wedi datblygu ar draws y byd. Yng Nghanada, mae'r Proud Boys wedi cael eu labelu yn grŵp terfysgol. Ond ro'n i'n ei ffeindio fo'n *fascinating* i allu siarad â phobl oedd reit ynghanol y grŵp.

Mae'r arweinydd Enrique Tarrio yn y carchar erbyn hyn, yn wynebu degawdau dan glo. Ddechrau mis Mai

2023 cafodd ei ganfod yn euog o gyhuddiadau'n ymwneud ag annog gwrthryfel. Roedd o reit ynghanol un o'r digwyddiadau mwyaf difrifol 'dan ni wedi ei weld yn hanes diweddar America – yr ymosodiad ar y Gyngres yn Washington ar 6 Ionawr 2021. Mae wedi bod yn ddiddorol tu hwnt i fi fod yn agos at y stori yna a gallu clywed yr hanes o geg pennaeth y Proud Boys a thrio deall y stori o'r ochr yna. Mae'n rhywbeth 'swn i fyth wedi dychmygu y basen i'n ei wneud.

Dwi'n gwybod y basai rhai pobl yn dweud ei fod o'n beth peryglus i'w wneud, ond sut ydyn ni'n mynd i allu deall a gwella'r sefyllfa os nad ydyn ni'n siarad â'r bobl yma? Os ydyn ni jyst yn deud: na, maen nhw'n nyts; na, paid siarad â nhw, maen nhw'n nyts… mae hynna'n mynd i neud pethau'n waeth. Maen nhw'n mynd i fod yn fwy blin ac mae'r mudiad yn mynd i dyfu.

Mae'r grwpiau yma'n bodoli ac ar hyn o bryd dydyn ni ddim yn sgwrsio digon.

Yn y rhaglen, naethon ni orffen ein taith 'nôl yn Washington, mewn rali fawr Black Lives Matter. Roedden ni wedi cyfweld ffotograffydd du ifanc cyn gadael California – Mikaela. Hi oedd wedi dweud wrthon ni nad oedd pobl ddu America wedi cael cyfle i ddysgu eu hanes eu hunain. Roedd hi'n flin mai dim ond am un o areithiau Martin Luther King roedd hi wedi dysgu, pan oedd o wedi areithio gymaint mwy na hynny.

Roedd hi'n bwysig iawn i fi glywed beth oedd ganddi hi i'w ddweud. Roedd Jason yn gallu uniaethu dipyn bach efo Mikaela, ond roedd o wedi cael profiad gwahanol iawn yn tyfu i fyny yng Nghymru. Roedd o'n gwybod sut deimlad oedd bod yn wahanol o fewn cymuned o fwyafrif gwyn. Ond roedd stori Mikaela am ddiffyg addysg am hanes yn rhywbeth 'dan ni i gyd fel Cymry yn ei rannu. Dwi ddim yn meddwl ein bod ni'n cael digon o gyfle i ddysgu am ein hunaniaeth a'n hanes ni chwaith.

A dweud y gwir, dwi'n meddwl ei bod hi'n anodd iawn i fi wybod sut roedd Mikaela yn teimlo go iawn, oherwydd dwi ddim yn berson du sy wedi tyfu i fyny yn America. Ond mae gwybod pwy wyt ti a beth yw dy stori di yn rhywbeth sy'n bwysig iawn i bawb. Mae gyda fi ddau o blant dwi a fy ngwraig wedi'u cael gan *donor*, ac i fi roedd hi'n bwysig iawn ffeindio allan lot am ochr y *donor* er mwyn rhoi gwybodaeth i'r plant. Mae hynna wedi rhoi mwy o hunaniaeth iddyn nhw. Dwi'n gwerthfawrogi hynna.

O ran y rali yn Washington, roedd bod mewn digwyddiad fel 'na gyda Jason yn brofiad da gan fod ei fod o'n berson du sy'n byw yn America. Doedd o ddim yn teimlo fel protest. Roedd o'n gwbl wahanol i'r teimlad yn Portland! Roedd o'n teimlo fel bod pobl yn dod at ei gilydd i ddathlu rhywbeth, a dangos bod 'na obaith i America.

Pryd bynnag ti'n neud ffilm fel yr un yma, mae lot yn cael ei adael ar lawr y *cutting room*. Bob tro, ti'n meddwl gallet ti fod wedi dweud mwy. Ond dwi'n meddwl fel ffilm ei fod o wedi llwyddo i roi snapshot bach o beth oedd pobl yn ei deimlo yn America ar y pryd, a hynny drwy lygaid Americanwyr, nid Cymry.

Bob blwyddyn sy'n mynd heibio dwi'n teimlo'n fwy a mwy yn rhan o'r stori. Mae gen i blant sy'n cael eu magu yma, ac erbyn hyn 'dan ni'n *citizens* parhaol ac wedi neud ein cartre fan hyn.

Dwi wedi dod i nabod y bobl yma, a dwi'n ymwybodol bod sut mae pobl yn pleidleisio a'r penderfyniadau maen nhw'n eu gwneud yn effeithio arna i a fy nheulu.

Bob tro 'dan ni'n cael etholiad yn America mae pobl yn dweud mai dyma'r etholiad mwyaf 'dan ni wedi'i weld. Bob pedair blynedd 'dan ni'n dweud hynna. Mae gan bawb ddiddordeb yn America, a dwi'n teimlo mor lwcus fel newyddiadurwraig 'mod i'n gallu byw trwy hynna.

SIAN LLOYD

Ddaeth hi ddim 'nôl

"Don't let this happen again, don't let anybody suffer the way we do."

Steve Williams, tad Georgia

BBC News

2015

Cefais alwad ar y ffôn symudol o'r ddesg newyddion yn Llundain. Roedd merch 17 oed wedi mynd ar goll yn Telford ac roedd yr heddlu'n cynnal ymgyrch enfawr yno. Roedd Telford yn ardal ro'n i'n gyfrifol amdani fel gohebydd newyddion y BBC yng nghanolbarth Lloegr, felly roedd angen i fi gyrraedd yno cyn gynted â phosib. Ro'n i wedi bod yn gweithio ar stori arall ar y pryd, felly roedd rhaid i honno jyst aros.

Es i draw i Telford a dwi'n cofio cwrdd â chynhyrchydd a dyn camera yna. Roedd y ddesg newyddion eisiau adroddiad byw cyn gynted â phosib. Ond wrth i mi gyrraedd tu allan i orsaf heddlu Wellington, wna i fyth anghofio, roedd banc o faniau newyddion lloeren yna a ffotograffwyr. Dyna pryd wnes i sylweddoli bod hon yn mynd i fod yn stori fawr iawn.

Roedd ymchwiliad yr heddlu yn enfawr, ac yn ymestyn cyn belled â Glasgow yn yr Alban. Ond ar y dechrau, doedden ni yn y wasg ddim yn gwybod hynny. Roedden ni'n dilyn yr ymchwiliad yn lleol wrth i'r heddlu geisio rhoi at ei gilydd i ble oedd Georgia wedi mynd a phwy oedd hi wedi'i weld. Felly ro'n i'n dilyn beth oedd yn mynd ymlaen yn Telford, ond roedd llawer yn digwydd y tu ôl i'r llenni.

Roedd y cyfnod yna pan doedd neb yn gwybod beth oedd wedi digwydd i Georgia yn anodd. Roedd cymaint o ddiddordeb yn y stori ac un o fy nhasgau i oedd casglu ymateb y gymuned. Roedd hi'n anodd iawn holi ffrindiau a chyd-ddisgyblion Georgia. Plant oedden nhw, plant yn eu harddegau.

Roedden nhw'n ofnus iawn, ac eisiau cael newyddion amdani. Wrth gwrs, roedd ei theulu hefyd eisiau cael newyddion. Cymuned fechan iawn yw Wellington lle roedden nhw'n byw. Mae pawb yn nabod ei gilydd, ac roedd pawb mewn sioc. Beth oeddwn i eisiau ei wneud oedd siarad efo pobl oedd yn ei nabod hi er mwyn dweud wrth y gynulleidfa pa fath o ferch oedd Georgia Williams.

Ond, ar yr un pryd, do'n i ddim eisiau ypsetio neb

chwaith. Mae angen sensitifrwydd, a hefyd treulio lot o amser gyda phobl ar adegau fel hyn. Ro'n i jyst eisiau rhoi'r cyfle i bobl siarad os oedden nhw eisiau.

Mae pobl yn gallu digio wrth newyddiadurwyr ar adeg fel yma. Dydy nifer o bobl ddim eisiau gweld y wasg yna. Maen nhw'n meddwl mai amser i'r gymuned ddod at ei gilydd ydy hi. Dyna oedden nhw'n ei neud yn Wellington.

Ond mae rhai pobl eisiau siarad. Felly, y peth i'w wneud, dwi'n meddwl, yw cadw proffil isel a jyst bod yna i bobl fedru cyfrannu os ydyn nhw isio.

Ond mae'n gallu bod yn anodd i ohebydd hefyd ar adegau fel hyn, ac efallai nad ydy'r gynulleidfa'n sylweddoli hynny. Y job yw dilyn y stori, ac mae'n bwysig gwneud hynny achos mae'n gallu helpu.

Beth oedd yn mynd trwy fy meddwl i gydol yr amser oedd bod angen cofio'r bobl, a delio hefo nhw fel taswn i yn yr un sefyllfa â nhw. Ond, wrth gwrs, mae angen gwneud adroddiad ar y newyddion a dweud y stori mewn ffordd fase pobl yn ei deall.

Ar ben popeth, roedd hon yn stori gymhleth ac yn symud dros nos. Hefyd, doedd yr heddlu ddim yn gallu rhannu rhai pethau â'r wasg. Fe ddysgon ni hyn yn yr achos llys. Ond y peth oedd, ro'n ni yna i helpu os oedd angen. A hefyd roedd 'na lot o ddiddordeb yn y stori ar draws Prydain, felly roedd angen i ni ddilyn popeth.

Ac yna mi ges i fy nhynnu mewn i'r ymchwiliad, mewn ffordd.

Bedwar diwrnod ar ôl i Georgia gael ei gweld yn fyw, roedd yr heddlu eisiau gwneud apêl am wybodaeth am fan liw arian. Wnes i gyflwyno'r wybodaeth yna'n fyw o du allan i'r orsaf heddlu yn Wellington ar raglen *Crimewatch* y BBC. Yn dilyn y darllediad yna, fe gafodd tîm yr heddlu nifer o alwadau. Dechreuodd pethau symud yn gyflym, a'r diwrnod wedyn daeth yr heddlu o hyd i gorff Georgia.

Ar ôl gweld fy apêl i, roedd rhywun wedi ffonio i fewn oedd wedi gweld y fan arian 'ma ger Bwlch Nant y Garth yn ardal Rhuthun. A dyna ble daethpwyd o hyd i'w chorff.

Tan hynny, roedd yr heddlu wedi bod yn holi dyn ifanc o'r enw Jamie Reynolds ar amheuaeth o herwgipio. Ond ar ôl i gorff Georgia gael ei ganfod, cafodd ei gyhuddo o lofruddiaeth.

Roedd yr adeg honno'n un ofnadwy i'r teulu. Roedd Steve Williams, tad Georgia, yn swyddog gyda'r heddlu oedd yn ymchwilio i'r llofruddiaeth. Ro'n i'n meddwl bod rhieni Georgia yn ddewr dros ben.

Pan ddaeth yr achos llys, roedd yn gyfnod emosiynol iawn i bawb. Mae'n anodd deall beth oedd ei theulu'n ei deimlo. Roedd Jamie Reynolds wedi gwadu'r llofruddiaeth, ond ar ddiwrnod cynta'r achos llys fe newidiodd ei ble i 'euog'. Felly roedd yr ystafell yn llawn. Roedd teulu Georgia yna, yn Llys y Goron, Stafford. Roedden nhw'n disgwyl i'r achos bara chwech wythnos, ond gan i Reynolds newid ei ble, aeth yr achos ddim ymlaen.

Ond wna i fyth anghofio mis Rhagfyr 2013, pan gafodd Jamie Reynolds ei ddedfrydu am lofruddio Georgia Williams, achos roedd y manylion yn erchyll. Roedden nhw mor annifyr fel do'n ni ddim yn gallu adrodd llawer o hynny i'r gynulleidfa.

Ond mi ddaru ei thad, Steve, siarad yn y llys wrth gyflwyno datganiad am yr effaith ar y dioddefwr.

Roedd honno'n un o'r eiliadau mwyaf emosiynol i mi ei phrofi erioed mewn achos llys. Dwi'n meddwl bod pawb yn yr ystafell yn crio, a dydy hynny ddim yn digwydd fel arfer. Roedd o'n siarad o'r galon, roedd o'n heddwas, ac roedd lot o heddlu yn y llys yn gwrando.

Wedi iddo fo siarad, cafodd Jamie Reynolds ddedfryd oes. Fe ddywedodd y barnwr na ddylai gael ei ryddhau fyth, gan i adroddiadau seiciatrig awgrymu bod ganddo'r potensial i fod yn llofrudd cyfresol, sef *serial killer*. Ac yn dair ar hugain oed, roedd o'n un o'r bobl ieuengaf i dderbyn y ddedfryd hon sy'n cael ei rhoi i'r troseddwyr mwyaf peryglus. Felly, roedd o'n achos hanesyddol hefyd.

Ond roedd 'na bryderon am sut roedd yr awdurdodau wedi delio â Jamie Reynolds yn y blynyddoedd cyn y llofruddiaeth, felly nid yr achos llys oedd diwedd y stori. Cafodd ymchwiliad ei gynnal wedyn i archwilio ymddygiad yr heddlu.

Y noson cyn i'r adroddiad gael ei gyhoeddi, mi es i gartref Georgia Williams a chael cyfweliad egsliwsif gyda'i rhieni.

Erbyn hynny, roedd Jamie Reynolds yn y carchar. Ond beth oedd Steve a Lynette Williams eisiau ei wybod oedd sut oedd yr heddlu ac asiantaethau eraill wedi trin Jamie Reynolds yn y gorffennol. Roedd hi wedi dod i'r amlwg bod yr awdurdodau wedi gorfod delio efo fo o'r blaen ar ôl iddo gyflawni ymosodiad difrifol. Roedden nhw wedi'i ryddhau, gyda rhybudd yn unig.

Felly cawson ni'r cyfweliad yma gyda'r BBC, a'i ddarlledu ar Newyddion 10 cyn i bawb weld yr adroddiad y diwrnod wedyn. Doedden ni ddim yn sôn am beth oedd yn yr adroddiad, ond yn hytrach yn rhoi cyfle i Lynette a Steve gael deud eu deud.

Roedd y cyfweliad mor emosiynol ac ro'n i isio rhoi rhan o'r cyfweliad allan yn syth ar y Newyddion 10. Roedd rhaid bod yn sensitif, achos ro'n i eisiau gwrando ar beth oedd ganddyn nhw i'w ddweud ar yr adeg bwysig yma, cyn i'r adroddiad ddod allan.

"We've lost a really beautiful girl," meddai mam Georgia wrtha i. "She really loved being with us, she loved her sister. She had a wicked laugh!"

Y foment honno wrth gofio chwerthiniad ei merch, roedd hi'n chwerthin, ond roedd ei gŵr, Steve, yn ei ddagrau.

"She was my mate as much as anything," oedd ei eiriau. "I absolutely miss her every second of the daylight."

Pan mae plismon o'i ranc o yn crio fel'na, mae'n eich taro chi, ac roedd beth ddywedodd o nesaf mor dorcalonnus.

"I go to sleep, and there's that little bit when you're waking up of a morning, when you're not quite clear and it could be a dream. And, I'm OK for a bit. Ten seconds, and then my heart starts thumping, and I'm waking up to that reality, into my nightmare."

I Lynette, y fam, roedd hi'n teimlo bod teulu'r heddlu wedi eu gadael nhw i lawr. Ac fe ddywedodd wrtha i ei bod hi'n teimlo, tasai'r heddlu wedi gwneud pethau'n iawn bryd hynny y byddai Georgia yn dal yn fyw.

Pan mae rhieni'n ail-fyw erchylltra llofruddiaeth eu merch wrthoch chi, mae'n brofiad anodd tu hwnt.

Beth ddaru nhw ddarganfod o'r adroddiad oedd bod yr heddlu a'r gwasanaethau cymdeithasol ac asiantaethau eraill wedi methu gweld yr arwyddion ei fod o'n beryglus. Wrth gwrs, roedd y teulu'n flin iawn ac yn drist am hynny. A'r diwrnod wedyn roedd amser i fynd drwy'r adroddiad a gallu rhannu hynny â'r gynulleidfa.

★

Ddaru'r wasg gael awr i ddarllen yr adroddiad yn y bore, ac wedyn roedd Steve a Lynette yna i siarad am eu hagwedd nhw. Dyna oedd yn bwysig; roedden nhw'n teimlo mor gryf. Roedd o'n beth anodd iawn i'w neud, o ran teulu sydd wedi colli rhywun a'r manylion mor erchyll.

Beth oedden nhw'n ei ddweud wrtha i oedd bod eu hartaith hyd yn oed yn waeth gan eu bod nhw wedi darganfod bod yr heddlu roedd Steve yn rhan ohono wedi ymchwilio i Jamie Reynolds bum mlynedd yn gynharach. Roedd Reynolds wedi ceisio crogi merch arall, ond cafodd ei ryddhau.

Roedd gweld poen y ddau yn anodd; roedd hi'n amlwg bod y ddau yn dioddef yn ofnadwy. Dwi'n meddwl eu bod nhw'n ddewr dros ben.

Aeth yr ymateb wedyn reit i'r top. Mi siaradodd David Cameron am yr achos ar lawr Tŷ'r Cyffredin, a galw am newid yn y ffyrdd mae asiantaethau'n rhannu gwybodaeth.

Gyda stori drist fel hon, elli di ddim dweud dy fod ti'n mwynhau neud y stori o gwbl gan ei fod yn brofiad mor emosiynol. Ond mae gohebu ar stori fel hon yn bwysig gan ei fod o'n gallu arwain at newidiadau. Dyna oedd y teulu'n ei feddwl, a dyna pam ddaru nhw benderfynu siarad efo fi. Achos doedd dim rhaid iddyn nhw o gwbl. Ond roedden nhw eisiau cael y neges allan – 'don't let this happen again'.

Yr hyn ro'n i isio'i neud oedd dweud stori Georgia. Pwy oedd Georgia Williams, pam oedd hyn wedi digwydd iddi a beth oedd y bobl oedd yn agos ati'n meddwl am y peth. Nhw oedd y bobl bwysig. Wrth gwrs, roedd 'na lot o sôn am Jamie Reynolds, ond y person pwysig yn y stori yma oedd Georgia Williams.

Mae bron i ddeg mlynedd ers llofruddiaeth Georgia ac mi faset ti'n gobeithio bod pethau wedi gwella, ond 'dan ni'n clywed mwy a mwy ar y newyddion am achosion treisgar. 'Dan ni'n gwybod na fydd Jamie Reynolds fyth yn dod allan o'r carchar. Ond mae nifer yr achosion treisgar yn erbyn menywod yn gwneud i ti boeni, a'r ffaith yw bod angen cario mlaen i roi achosion fel hyn yn y *spotlight*, a darlledu adroddiadau ar y newyddion, er mwyn i bobl wybod beth sy'n mynd ymlaen.

I fi, mae'r achos yn sefyll allan gan fy mod i wedi dilyn beth oedd wedi digwydd i Georgia o'r cychwyn, pan oedd 'na obaith efallai fod Georgia yn dal yn fyw. Wedyn, mi welais i'r teulu a phawb yn y gymuned yn gobeithio y byddai hi'n dod 'nôl.

Ac wrth gwrs, ddaeth hi ddim 'nôl.

SIAN MORGAN LLOYD

I ganol y storm

"Pan fwrodd Teiffŵn Hayan na'th bron chwarter miliwn o bobl golli eu cartrefi."

'Trychineb y Teiffŵn'

Y Byd ar Bedwar

25 Tachwedd 2013

Teiffŵn Hayan oedd y corwynt mwyaf i daro Ynysoedd y Philippines erioed. Yn syth wedi i'r teiffŵn daro, ro'n i'n gwybod bod nifer y meirw yn cynyddu'n aruthrol. Ynghanol y drychineb roedd Cymraes o Lanfair-pwll, Ynys Môn, yn ceisio darganfod beth oedd wedi digwydd i'w theulu hi, a dyna pam wnaethon ni'r stori i *Y Byd ar Bedwar*.

Roedd teulu Tania Peregrino Owen ar goll. Pan drawodd y teiffŵn ar yr 8fed o Dachwedd 2013, roedd hi wedi bod yn Manila ers wyth mis yn gweithio a threulio amser gyda'i pherthnasau. Ro'n i wedi ei chlywed hi'n siarad ar Radio Cymru am effaith y corwynt, ond pan ffonion ni hi i holi rhagor, na'th hi ddatgelu bod teulu ganddi nad oedd hi'n gwybod beth oedd eu ffawd nhw. Roedd hynny'n egsliwsif i ni. Felly, bant â fi a'r cynhyrchydd a'r dyn camera, Iwan Murley Roberts, o fewn wythnos i'r corwynt daro, er mwyn dilyn ei thaith i chwilio amdanyn nhw – a ffilmio'r cyfan.

Pump diwrnod oedd gyda ni.

Hedfan o Lundain i Manila oedd y peth cyntaf ro'n ni angen ei neud. Ro'n i wedi bod yn y Philippines o'r blaen pan o'n i'n bacpacio fel myfyrwraig, ac yn cofio Manila o'r cyfnod 'na ddeng mlynedd yn ôl. Roedd 1.5 miliwn o bobl yn byw yna, ac ro'n i'n cofio bod chwarter poblogaeth y wlad yn byw mewn tlodi, hyd yn oed cyn i'r teiffŵn daro. Ro'n i'n gwybod bod Manila yn ddinas hynod o brysur a beth maen nhw'n eu galw yn *jeepneys* yn cludo pobl o gwmpas y ddinas. Roedd plant bach yn dod arnyn nhw i fegera am arian, ac yn rhannu amlen rhwng pawb gan obeithio byddech chi'n rhoi arian ynddi hi. Doedd dim sgidiau ar eu traed. Roedd y cyfan yn newydd i Iwan.

Yn Manila, fyddet ti ddim yn gwybod bod teiffŵn wedi taro'r wlad. Doedd Tania ddim wedi bod yna'n hir iawn ac roedd hi wedi cael sioc hefyd.

Doedd dim llawer o amser gyda ni yn Manila. Arhoson ni yna am un noson a threfnu gyda Tania y bydden ni'n hedfan i Ynys Cebu i gwrdd â rhai o'i theulu hi. Mae'r Philippines yn cynnwys miloedd o ynysoedd bach, ac ar y pryd doedd dim modd hedfan i Tacloban lle'r oedd y dinistr mwyaf. Felly aethon ni i Cebu. Dyna lle'r oedd yr ymdrech ddyngarol yn cael ei chanoli, ac roedd awyren yn cyrraedd bob hanner awr yn llawn ffoaduriaid o'r ynysoedd oedd wedi cael eu heffeithio'n ofnadwy. Roedd rhywfaint o ddifrod yn Cebu. Yno, wnaethon ni gyfweld teuluoedd oedd yn cysgu ar lawr ar focsys cardbord. Roedd hynny wedi rhoi blas i ni o nifer y bobl oedd yn ddigartref a faint o ymdrech oedd hi i gael bwyd a dŵr glân i bobl. Roedd teulu Tania wedi dweud wrthon ni fod pobl wedi cael eu gorfodi i ddwyn a lwtio er mwyn llenwi eu boliau. Ond beth arall ddywedon nhw oedd bod mwy o'r tylwyth yn dal yn Tacloban, ac nad o'n nhw'n gwybod beth oedd eu hanes nhw.

Felly dyna oedd asgwrn y stori: trio ffeindio'i theulu hi. Ro'n ni'n dilyn y camau, yn ceisio dod o hyd i berthnasau Tania, ac ro'n nhw'n ein pwyntio ni at y trywydd nesaf. Wrth geisio cyrraedd y nod, ro'n ni'n gweld mwy a mwy o ddifrod, a mwy a mwy o bethau ofnadwy. O edrych 'nôl ar y rhaglen, roedd e fel mynd tamaid yn agosach at lygad y storm bob man ro'n ni'n ffilmio.

Ar ôl clywed am y lwtio yn Cebu, roedd rhaid ystyried beth fyddai o'n blaenau ni yn Tacloban.

Roedd rhaid i ni brynu pebyll a bwyd a diod i bara 24 awr. Dyna oedd y bwriad – aros 24 awr. Ond, wrth gwrs, do'n ni ddim yn gwybod pa mor ymarferol fyddai hi i adael Tacloban chwaith. Beth os fyddai 'na ôl-gryniadau? Beth petai'r awyrennau'n llawn ar y ffordd 'nôl a ddim lle i ni am ryw reswm? Roedd cymaint o ansicrwydd. Felly, aethon ni â jyst digon o fwyd am ddeuddydd, rhag ofn. Roedd rhaid i ni fynd â Tania hefyd, wrth gwrs, a doedd hi chwaith ddim yn gwybod beth i'w ddisgwyl. 19 oed oedd hi. Roedd hi'n ifanc i fod yn delio â hyn.

Dwi ddim yn gwybod yn ymarferol a fyddai Tania wedi gallu mynd i Tacloban hebddon ni. Gydag ychydig o lwc, cafodd y maes awyr ei glirio'n ddigon da i awyrennau lanio eto. Roedd 'na gystadleuaeth ffyrnig i gael lle ar yr awyren gan fod cymaint o weithwyr dyngarol eisiau cyrraedd Tacloban a chymaint o bobl eisiau trio dod o hyd i'w teuluoedd. Dwi'n cofio Iwan a fi'n cael sgwrs ynglŷn ag oedden ni'n haeddu lle ar yr awyren, oherwydd y teimlad bod ti isie hala'r gweithwyr dyngarol cyn y newyddiadurwyr. Ro'n i'n gorfod cael y sgyrsiau anodd yna, wedyn, o ran oedden ni'n mynd i gymryd tair sêt ar yr awyren. Ond mi wnaethon ni, achos roedd gyda ni swyddogaeth hefyd o ran mynd i ganol y stori a chael hanes y bobl ar gofnod a gallu cyfiawnhau hynny. Mi aethon ni ar un o'r awyrennau cyntaf oedd yn cludo pobl gyffredin draw i Tacloban.

Pan na'th yr awyren lanio yn Tacloban, do'n i erioed wedi gweld unrhyw beth tebyg o ran y difrod. Beth sydd wir yn aros yn y cof yw'r gwynt. Roedd y lle'n drewi o farwolaeth. Do'n i erioed wedi gwynto'r fath beth o'r blaen. Ro'n i'n teimlo'n sic o'r funud wnes i wynto'r aer 'na.

Edrychais ar Tania a meddwl – ni wedi dod â ti yma fel rhan o'n rhaglen ni. Ro'n i'n gwybod ei bod hi moyn ffeindio'i theulu, ac ro'n ni wedi trafod sawl gwaith cyn dod a oedd hi'n barod yn emosiynol am hyn. Ond y gwir yw: oedd unrhyw un ohonon ni'n barod am y sefyllfa yna? Ti'n methu paratoi ar gyfer rhywbeth ti ddim yn gwybod amdano.

Ar ôl trychineb fel hwn, ti'n ymwybodol bod haenau cymdeithas wedi torri i lawr. Doedd 'na ddim gorsaf heddlu. Doedd 'na ddim gwesty. Roedd unrhyw sefydlogrwydd wedi diflannu. Roedd gangiau wedi dechrau ffurfio. Roedd lwtio'n digwydd. Doedd e ddim yn lle saff i fod ynddo fe! Pan does gen ti ddim adeiladau na strwythur i gymdeithas, dwyt ti ddim yn gwybod ble sy'n saff.

Pan gyrhaeddon ni, roedd yr awyren yn glanio yn y maes awyr, wrth gwrs, a fan'na oedd y lleoliad i ni gysgu hefyd oherwydd dyna lle'r oedd y fyddin a'r elusennau. Dwi'n cofio siarad â rhai o fyddin yr Unol Daleithiau a gofyn fydde fe'n iawn i ni gymryd y darn yma o wair. Patshyn o wair oedd e. Dyna oedd ein gwesty am y noson. Patshyn o wair.

Alla i ddim disgrifio pa mor boeth oedd hi. Hyn a hyn o ddŵr oedd gyda ni, a dwi'n cofio dweud wrth Iwan,

"Mae'n rhaid i ti yfed llai o ddŵr achos ni'n mynd i redeg allan."

"Dwi'n cario'r camera 'ma, dwi mor boeth!" atebodd Iwan.

A dwedais i, "Fi'n gwybod, fi mor sorri, ond dwi'n poeni bo' ni'n mynd i redeg allan o ddŵr."

Doedd y fyddin ddim hyd yn oed yn fodlon rhoi dŵr i ni. Dwi'n cofio gofyn am beth, a nhw'n dweud, "Na. Hyn a hyn sy gyda ni."

Roedd e'n rhywbeth anhygoel i fod yn neud. Dim ond ychydig bach o ddŵr, brechdanau *peanut butter* i swper, bananas a 'bach o gaws. Dyna beth oedd gyda ni am 24 awr.

Doedd dim tŷ bach chwaith. Beth oedd ar ôl oedd gweddillion adeiladau ac ambell dŷ bach yn dal yna – heb waliau. Roedd pobl wedi rhoi darnau o darpolin rownd y tŷ bach, felly roedd rhaid perswadio aelodau o'r fyddin neu'r heddlu i adael i ni fynd tu ôl i'r tarpolin. Dyna wnaethon ni. Roedd e yng nghefn fy meddwl i drwy'r amser, er mor heriol yr amgylchiadau o'n ni'n ffilmio, nad dyna'r stori, oherwydd roedd 'na bobl fan hyn oedd wedi colli popeth. Doedd y ffaith 'mod i'n gorfod cysgu mewn pabell a phoeni am fy niogelwch ddim yn bwysig.

Doedd yr awyrennau ddim wedi stopio drwy'r nos. Fe ddywedodd Iwan wrtha i ei fod e fel arfer yn cysgu'n sownd, ond doedd e hyd yn oed ddim yn gallu cysgu winc.

Beth bynnag, dim ond 24 awr oedd gyda ni i ffeindio teulu Tania. Roedd 'na gymaint o bwysau arnon ni i'w ffeindio nhw. Roedd y broses yn rhyfeddol. Doedd dim trefn o gwbwl yna! Roedd rhaid i ni fynd i beth oedd y llyfrgell a siarad â llwyth o bobl yna. Doedd cadw cofnod ddim yn grêt ar yr ynys beth bynnag. Ro'n i'n dibynnu ar bwy oedd yn nabod pwy, a mater o fynd rownd a siarad â chymaint o bobl ag o'n i'n gallu, a mynd o un lle i'r llall.

Mae'r camera'n eithaf da am ddangos y difrod, ond dwi'n dal yn gallu blasu a gwynto Tacloban. Sut mae disgrifio'r drewdod 'na pan mae cyrff wedi bod yn y môr? Dy'n nhw ddim mewn siâp da. Mae'r gwres 'na a bwyd pobl yn 'mynd off'. Dychmyga dai pobl wedi dymchwel, dim system doiledau. Dwi'n gallu ei wynto fe nawr, a dwi'n gallu cofio'n union sut o'n i'n teimlo, sef eitha sâl, a dweud y gwir.

Roedd rhai cyrff wedi cael eu rhoi mewn bagiau ar hyd y ffyrdd, ond roedd rhai eraill wedi cael eu peilo lan ar ben ei gilydd. Do'n i ddim wedi gweld corff marw o'r blaen. Ro'n i wedi dweud 'nos da' wrth fy mam-gu i yn yr ysbyty, ond erioed wedi gweld be welais i yn y Philippines – a dwi'n gobeithio na wna i fyth eto.

Ar un pwynt yn y rhaglen, mae Tania a fi'n gweld bod rhai o'r bagiau yn fach, a ti'n gwybod yn iawn mai plant y'n nhw. Ond wrth i'r diwrnod fynd yn ei flaen ro'n i'n gweld tryciau llawn cyrff. Roedd e'n ofnadwy. Ofnadwy.

Peth arall dwi'n ei gofio yw'r chwys a'r angen am ddŵr. Ro'n i wir yn becso gydol yr adeg bo' ni'n mynd i redeg allan o ddŵr.

Ond roedd gwaith gyda ni i'w wneud. Dwyt ti ddim yn gwybod faint o lwc sy'n rhan o'r pethau 'ma ond roedd rhywun oedd yn y llyfrgell tra o'n ni'n ffilmio yn gwybod bod Junjun, cefnder Tania, wedi goroesi. Aeth hi â ni i'r safle lle'r oedd tŷ'r teulu.

Wna i fyth anghofio'r olygfa. Roedd hi'n dipyn o beth i weld gweddillion y tŷ, a sylweddoli bydde unrhyw un oedd mewn 'na pan drawodd y teiffŵn yn lwcus i fod wedi goroesi. Y foment nesa, dyma ni'n clywed ar gamera bod y teulu cyfan wedi marw – heblaw am Junjun.

Roedd hi'n siomedig mewn ffordd bo' ni wedi methu cwrdd â Junjun, oherwydd erbyn i ni gyrraedd roedd e wedi cael ei gludo i Cebu neu Manila i gael triniaeth. Roedd e wedi brifo'i goes. Ond am weddill y teulu, roedd y disgrifiadau yn erchyll o beth ddigwyddodd iddyn nhw. Cafon nhw'u llusgo mas o'r tŷ gan y tonnau. Mas i'r môr. Doedd corff un ferch ddim wedi cael ei ddarganfod. Roedd e'n lot i'w brosesu.

Dyna oedd y darn anoddaf – ffilmio ymateb Tania wrth glywed bod nifer o aelodau ei theulu wedi marw.

Dwi'n cofio'i gweld hi yn ei dagrau a meddwl, "Dwi i fod i gadw pellter fel gohebydd niwtral. Dwi ddim i fod i estyn mas a dangos emosiwn." Ond roedd rhaid i fi roi 'mraich o'i chwmpas hi. Do'n i ddim yn gwybod yn y stafell dorri a ddylen i ddangos hynny yn y rhaglen, ond roedd e'n beth naturiol i'w wneud ar y pryd. Ar ddiwedd y dydd, pan ti'n wynebu marwolaeth, cig a gwaed y'n ni i gyd. Roedd jyst rhaid i fi roi 'mraich rownd hi.

Roedd e'n anodd ei gweld hi'n gorfod ymdopi â'r newyddion. Y teimlad 'na bod ti'n methu rhoi rhywun i orffwys… Roedd rhan ohonot ti'n teimlo'n wael bod ti'n ffilmio. Mae'n foment mor emosiynol.

Ro'n i'n poeni o hyd a o'n i'n gofyn gormod ohoni. Roedd hi mor ifanc, ond roedd hi'n ddewr iawn. Y bore wedyn pan ffilmion ni'r darn oedd wedi cloi'r rhaglen, roedd ganddi ysbryd newydd. Roedd hi'n teimlo mor falch o fod ar y daith gyda ni. Roedd hi'n teimlo bod pobl yr ynysoedd wedi ymateb yn anhygoel i sefyllfa faset ti ddim yn dymuno i unrhyw un fynd drwyddi hi.

"Mae pobl y ddinas yma wedi mynd trwy *hell* ac wedi syffro," meddai hi. "Maen nhw'n dal i fynd, a dal i ffeito. Dwi mor prowd ohonyn nhw, a dwi'n prowd i fod yn Filipino."

Ar ôl diffodd y camera, ro'n i'n teimlo ein bod ni'n gallu tynnu llinell. Ro'n i moyn gwybod beth oedd wedi digwydd i'w theulu hi, ac mewn tridiau o ffilmio (gan gynnwys y diwrnod o ffilmio cyn cyrraedd Tacloban) ro'n ni wedi neud lot o waith ymchwil a ffilmio, ac wedi bod i ganol y storm.

Roedd tipyn o ffilmio yn dal ar ôl ac roedd fy egni i'n dechrau diflannu. Roedd hi wedi bod yn 24 awr anodd i ni i gyd – y diffyg bwyd a diod, a'r newyddion trychinebus. Do'n i ddim wedi cysgu ryw lawer. Ond ar ôl hedfan 'nôl o Tacloban, roedd rhaid dal ati, ac aethon ni i gwrdd â Sally Snow o Eglwyswrw. Roedd hi'n arbenigwr morol, yn canolbwyntio ar siarcod.

Cafodd Tania ddiwrnod o ymlacio ac aeth Iwan a fi i ffilmio gyda Sally. Ond, creda fi neu beidio, roedd y diwrnod yna o ffilmio yn fwy peryglus na'r un yn Tacloban.

Roedd Sally a'i ffrindiau wedi penderfynu helpu gyda'r ymgyrch ddyngarol. Ro'n nhw'n gwybod bod rhai ynysoedd heb gael cymorth o gwbl. Felly ro'n nhw wedi paratoi pecynnau bwyd a llogi cwch i fynd draw i Ynys Ponson, ac roedd croeso i ni fynd hefyd. Felly aethon ni gyda nhw. Doedd e ddim yn teimlo fel rhan anodd o'r stori i'w ffilmio: dim ond dangos y cam bach olaf, a gweld y Gymraes yn dosbarthu cymorth.

Beth nad o'n i wedi paratoi yn ddigonol amdano oedd y ffaith ei bod hi'n daith o 60 milltir – pedair awr – i gyrraedd yr ynys 'ma ac roedd y môr yn wyllt! Roedd y tonnau'n dod dros dop yr hwyliau, nes ein bod ni dan y dŵr. Roedd e'n ofnadwy! Ro'n i'n poeni ar un adeg bod teiffŵn arall yn dod tra o'n ni ar ganol y môr. Roedd rhaid i ni guddio'r camera dan lwyth o fagiau a'i lapio fe'n dynn. Ro'n i wir yn becso am y cit, ac ro'n i methu ffilmio'r rhan fwya o'r daith gan nad oedd hi'n bosib dal y camera.

Roedd Sally a'i ffrindiau'n dweud, "Mae'n iawn, mae'n iawn." Ro'n nhw'n gweithio ar y môr ac yn fwy cyfarwydd â'r tonnau, ond ro'n i jyst yn gobeithio bydden ni'n cyrraedd mewn un darn. Roedd fy sgidie yn llawn dŵr. Roedd y cwch fel rafft ac ro'n i'n poeni am fy mywyd. Wedyn dechreuon ni feddwl: os yw'r bobl 'ma yn starfo, sut fasen nhw'n ymateb? Roedd rhaid i ni feddwl ar ein traed. Roedd rhaid meddwl sut o'n ni'n mynd i aros yn saff pan fydden ni'n glanio.

Ro'n i'n wyrdd erbyn cyrraedd yr ynys. Ond doedd dim rhaid poeni am y bobl – ro'n nhw'n hyfryd ac yn ddiolchgar iawn ein bod ni wedi dod â'r pecynnau bwyd.

Roedd tai bron pawb wedi'u chwalu'n llwyr. Ro'n nhw wedi colli eu coed ffrwythau mango a chnau coco. Ro'n nhw'n dibynnu ar bysgota a'r cnydau ro'n nhw'n eu tyfu i fwyta. Diolch byth bod modd iddyn nhw bysgota o hyd. Doedd dim byd ar ôl. Roedd pobl yn cysgu ar lawr ac yn gorfod ailadeiladu popeth eu hunain. Roedd clywed eu hanesion nhw ar yr ynys fach 'ma oedd wedi cael ei hanghofio yn drist unwaith eto.

Yn y diwedd, ro'n i'n falch ein bod ni wedi neud yr ymdrech i fynd yno ac roedd hi'n lein newyddiadurol bwysig. O beth chi'n gweld yn y rhaglen, roedd e'n hyfryd gweld y Gymraes 'ma'n mynd draw ac yn cynnig cymorth i bobl mewn angen. Beth o'ch chi ddim yn ei weld oedd y daith ofnadwy draw. Pan ddaeth hi'n amser gadael, ro'n i eisiau mynd 'nôl unrhyw ffordd arall, ond doedd dim ffordd arall.

Diolch byth bod y tywydd chydig bach yn well ar y ffordd 'nôl! Mae e i neud â chyfeiriad y gwynt, medden nhw.

Wedi hynny, roedd hi'n bryd i ni droi adre am Gymru. Roedd dros wythnos ers i'r teiffŵn daro, ac roedd y stori yn dechrau llithro o'r agenda newyddion. Roedd modd i ni ddechrau golygu ar yr awyren ar y ffordd adre, a buon ni'n dewis y darnau gorau yn y car ar y ffordd 'nôl o'r maes awyr. Ro'n ni'n golygu mewn shifftiau: fi'n cysgu, yna Iwan yn cysgu.

Aeth y rhaglen mlaen i ennill BAFTA Cymru, rhywbeth dwi'n falch iawn ohono. Nid gwobrau yw popeth, ond mae'n braf gwybod bod dy ymdrechion newyddiadurol a dy ymdrech i ddweud stori wedi creu argraff. Ar ben hynny, dwi'n gobeithio'n bod ni wedi neud cyfiawnder â phobl y Philippines a'r Cymry Cymraeg oedd yna.

Amser Nadolig y flwyddyn honno, wnaethon ni raglen yn rhoi diweddariad am straeon mawr *Y Byd ar Bedwar*. Fe anfonon ni griw i ffilmio gyda Junjun yn y Philippines. Roedd Tania a fe wedi gallu cwrdd â'i gilydd o'r diwedd. Roedd e'n lyfli i'w weld. Ro'n ni wedi eu helpu nhw i ddod ynghyd. Roedd hi'n braf gallu cynnwys y diweddglo i'r stori yn ein rhaglen flynyddol. Roedd Junjun wedi colli ei deulu i gyd, ond roedd e'n bwriadu mynd 'nôl i Tacloban a dilyn cwrs i wella'i gyfleon gwaith.

Wnes i gadw mewn cysylltiad â Tania wedyn. Daeth hi'n ôl i Gymru yn eitha buan wedi'r drychineb. Mae Sally Snow yn dal i weithio gyda siarcod yn y Philippines, ac yn eu ffilmio ei hunan hefyd erbyn hyn.

Roedd hi'n rhaglen heriol ac anodd yn emosiynol. Wrth edrych 'nôl, roedd hi'n llawn tristwch ond roedd gobaith yna hefyd. A dwi'n credu taw dyna mae rhywun yn chwilio amdano fe, chwilio am y golau. Bydda i wastad yn ddiolchgar i Tania am y ffydd roddodd hi ynddo' i i ddweud y stori yna. Bydda i falle wastad yn teimlo rhyw fath o gyfrifoldeb. Fi oedd y gohebydd oedd yn gorfod edrych ar ei hôl hi rywfaint. A gobeithio 'mod i wedi neud jobyn da o hynny, yn ogystal â'r holl waith newyddiadurol hefyd.

SION TECWYN

Cuddio'r gwir

"Oes ganddoch chi unrhyw syniad lle aeth yr arian 'ma?"

Newyddion S4C

14 Mai 2009

Ro'n i'n nabod Noel Thomas ers blynyddoedd lawer. Roedd o'n is-bostfeistr ym mhentref Gaerwen ac yn gynghorydd lleol. I fi, fel newyddiadurwr, roedd o'n gyswllt defnyddiol.

Roedd hi'n goblyn o sioc i fi pan na'th o bledio'n euog yn y llys i gadw cyfrifon ffug.

Beth do'n i ddim yn ei wybod ar y pryd oedd ei fod o wedi cael ei fygwth gan y Swyddfa Bost. Roedden nhw wedi dweud wrtho fo, "Mae'n rhaid i chdi bledio'n euog neu mi fyddwn ni'n dy gyhuddo di o ddwyn", sef trosedd lawer mwy difrifol. Wrth gwrs, beth gafodd y llys ddim gwybod oedd mai Noel Thomas ei hun oedd wedi dweud wrth y Swyddfa Bost bod arian ar goll a'u bod nhw wedi dweud wrtho fo, "Paid â phoeni, mi neith y system gywiro'i hun."

Mi es i gyfweld ag o ryw dair blynedd ar ôl iddo fod yn y carchar am gyfnod o naw mis yn 2006. Dwi'n cofio dod 'nôl o neud y cyfweliad a chyd-weithwyr yn ystafell newyddion Bangor yn reit amheus. Roedd hynny'n gwbl ddealladwy, oherwydd mi oedd o wedi pledio'n euog.

Mae'n od meddwl rŵan, ond hwnna oedd y cyfweliad radio neu deledu cyntaf erioed yn unman ar y pwnc yma na'th ddatblygu'n fath sgandal. Ei arwyddocâd pennaf ydy ei fod o wedi sbarduno rhaglen materion cyfoes y BBC ar y pryd, *Taro 9*, i ymchwilio, ac mi ddaethon nhw o hyd i dros 30 o achosion tebyg i un Noel Thomas. Hynny, yn fwy na dim, na'th ddechrau'r holl beth.

Mi na'th yr is-bostfeistri ddechrau dod at ei gilydd. Wedyn, yn araf deg, dros gyfnod o flynyddoedd, mi na'th y stori wir ddechrau dod allan.

Rhwng y blynyddoedd 2000 a 2014, cafodd 736 o is-bostfeistri eu herlyn ac aeth llawer ohonyn nhw i'r carchar ar ôl i'r Swyddfa Bost eu cyhuddo nhw o ddwyn, twyll a chadw cyfrifon ffug. Yn y pen draw, fe ddaeth hi i'r amlwg mai nam ar system gyfrifiadurol y Swyddfa Bost – Horizon – oedd yn gyfrifol am neud i'r arian ddiflannu o gyfrifon y swyddfeydd post.

Ond roedd rhaid i'r is-bostfeistr Noel Thomas o'r Gaerwen aros am flynyddoedd tan i'r gwir ddod i'r amlwg.

Dwi'n cofio'r diwrnod yr aeth yr heddlu a phobl y

Swyddfa Bost Frenhinol i'r Swyddfa Bost yn y Gaerwen reit ar ddechrau hyn i gyd. Mi na'th rhywun ffonio a dweud, "Mae rhywbeth yn digwydd yn Swyddfa Bost y Gaerwen". Mi wnes i ffonio, a na'th Noel ateb.

Roedd hi'n amlwg ei fod o mewn coblyn o stad o sioc. Dwi'n ei gofio fo'n deud, "Mae 'na bres ar goll."

Wedi hynny, mi gollodd Noel Thomas, a'r holl is-bostfeistri eraill oedd wedi mynd drwy brofiad tebyg, eu henw da achos roedden nhw'n hoelion wyth y gymdeithas. Yn y cyfnod cynnar yna, roedd pawb yn cymryd bron yn ganiataol fod Noel wedi twyllo mewn ffordd, oherwydd ei fod o wedi pledio'n euog.

Mi gafodd effaith enfawr.

Mae Noel yn ddyn sy'n gwneud ei orau i drio cuddio'r math yna o beth, ond pan dach chi'n gynghorydd ac yn is-bostfeistr, dach chi'n colli'ch enw da, yn colli'ch tŷ, yn cael eich gwneud yn fethdalwr. Wrth gwrs, yn fwy na dim, dach chi'n mynd i garchar.

Pan dach chi'r math o ddyn sydd erioed wedi bod mewn cysylltiad â'r math yna o bobl, mae'n anferth o sioc. Yn y bôn, mi na'th o ddinistrio'i fywyd o am 17 o flynyddoedd. Does 'na ddim un swm o arian fedr wneud yn iawn am hynny.

Mi ro'n i'n reit sicr nad oedd o wedi dwyn yr arian. Ro'n i wedi bod mewn achos llys cynharach – *proceeds of crime* – lle roedden nhw wedi trio dod o hyd i'r arian 'ma.

Roedd £48,000 wedi mynd ar goll ond roedd arbenigwyr y Swyddfa Bost wedi dweud nad oedden nhw'n gallu dod o hyd i'r arian.

Ro'n i'n gwybod doedd Noel Thomas ddim y math o ddyn fyddai'n cadw cyfrifon banc cudd yn y Cayman Islands. Roedd hynny jyst yn cadarnhau fy nheimlad nad oedd o wedi dwyn yr arian.

Dwi'n credu mai beth fyswn i wedi'i feddwl ar y pryd oedd ei fod o wedi neud camgymeriad cyfrifiadurol a bod y pres wedi diflannu fel yna. Ond, wrth gwrs, doedd gen i na neb arall unrhyw syniad am faint y sgandal fyddai'n datblygu dros y 12 mlynedd dilynol.

I fi, fel newyddiadurwr, mi oedd o'n gyfnod anodd a rhwystredig o 2009 ymlaen. Oherwydd yr unig bobl oedd yn cymryd unrhyw sylw oedd *Computer Weekly*, cylchgrawn arbenigol uchel iawn ei barch, a ni'r newyddiadurwyr Cymraeg. Doedd hynny ddim yn ddigon i greu unrhyw fath o fomentwm na'r sylw roedd yr holl sgandal ei angen. Na'th *Private Eye* ddechrau cymryd diddordeb tua 2011.

Basai wedi bod yn hawdd iawn i gynhyrchwyr *Newyddion*, y rhaglen ro'n i'n gweithio iddi, ddeud, "Tyd 'laen, Sion, ti 'di neud y stori 'ma nifer o weithiau, does dal ddim prawf." Neu ddeud, "'Dan ni ddim isio mwy o eitemau gen ti." Ond, chwarae teg i bobl fel Sharen Griffith y golygydd a chynhyrchwyr fel Siân Jones, mi wnaethon nhw adael i mi barhau i neud y stori. Ac mae 'na glod mawr iddyn nhw am hynny.

Roedd hi'n broses raddol wrth i'r stori ddod allan. Roedd o'n gyfnod rhwystredig iawn.

Dwi'n meddwl bod y trobwynt wedi dod yn 2015. Mi na'th *Panorama* raglen gyfan ar y peth. Ac mi roedden nhw wedi llwyddo i siarad efo archwilwyr oedd wedi cael eu comisiynu gan y Swyddfa Bost i edrych ar y system gyfrifiadurol. Mi oedd yr archwilwyr wedi dweud bod 'na wallau yn y system ac roedd y Swyddfa Bost i bob pwrpas wedi anwybyddu'r cyngor.

Mi gynyddodd momentwm yr holl beth yn sylweddol ar ôl *Panorama*, a hynny'n bennaf oherwydd Nick Wallis, un o'r newyddiadurwyr oedd wedi gweithio ar y rhaglen. Mi ddechreuodd o wefan 'The Great Post Office Scandal', ac yn sgil hynny daeth llawer mwy o achosion i'r amlwg. Dechreuodd y dystiolaeth bentyrru yn erbyn y Swyddfa Bost.

Wedi hynny, mi ddoth yr holl beth, yn ara deg, flwyddyn ar ôl blwyddyn, yn fwy a mwy amlwg.

Bu'n rhaid i Noel aros am 16 mlynedd cyn i'w ddedfryd gael ei gwyrdroi yn yr Uchel Lys. Fo oedd y cyntaf o'r 39 i ddod allan y diwrnod hwnnw. Do'n i ddim yno am ei bod yn gyfnod y pandemig, ond mi na'th o ddiolch i'r newyddiadurwyr Cymraeg, a fy enwi i, am gadw'r stori yn llygad y cyhoedd.

Felly'r noson honno, mi ro'n i'n teimlo rywfaint yn emosiynol. Ond fy mhrif deimlad oedd fy mod i'n dal i deimlo'n flin.

Dwi wedi bod yn newyddiadurwr ers 40 mlynedd, ac yn yr amser yna dach chi'n neud bob math o straeon sy'n drist, sy'n ddychrynllyd mewn gwahanol ffyrdd, a dwi'n meddwl eich bod chi'n dechrau dysgu sut i gadw rhyw fath o bellter. Ond efo'r stori yma, wrth i'r blynyddoedd fynd heibio, mi o'n i'n ffeindio hynny'n fwy a mwy anodd.

Beth oedd yn fy ngwneud i'n fwy blin bob tro ro'n i'n gwneud y stori oedd fy mod i'n siarad efo'r Swyddfa Bost ac roedden nhw'n hollol ddilornus o'r peth. Dwi'n dal i deimlo'n flin rŵan achos dwi ddim yn meddwl bod yr is-bostfeistri wedi cael chwarae teg. Dydy'r bobl oedd yn gyfrifol am gadw'r gyfrinach bod 'na broblemau efo'r system gyfrifiadurol ddim wedi gorfod ateb am yr hyn wnaethon nhw chwaith.

Ond un peth mae'r stori yma'n ei ddangos ydy pwysigrwydd gohebwyr lleol. Maen nhw'n hanfodol.

O un stori fach fan hyn, neu un stori fach yn Swydd Surrey efo postfeistr arall, o hynny mae'n datblygu. Mae rhywun yn dod i ddeall bod sgandal enfawr yn hyn i gyd. Mae'n debyg ein bod ni'n sôn am dros saith cant o is-bostfeistri gafodd eu herlyn ar gam. Mae'n siŵr bod cannoedd yn fwy na hynny wedi ad-dalu arian i'r Swyddfa Bost am ei fod wedi mynd ar goll. Dyna oedd y rheol – os oedd arian yn mynd ar goll o gyfrifon y Swyddfa Bost, chi oedd yn gyfrifol.

Felly, mae wedi effeithio ar gannoedd ar gannoedd o bobl. Mae rhai wedi cyflawni hunanladdiad; mae rhyw 30 o'r is-bostfeistri wedi marw cyn cael iawndal. Felly mae'r gost ar lefel ddynol yn enfawr.

A fydd 'na fyth modd gwneud yn iawn am hynny.

WYRE DAVIES

Hunllefau ar ôl Libya

"Two shots ring out – missing me by a whisker."

BBC News

Hydref 2011

Ro'n i ar y *front line* ynghanol Sirte, Libya, pan ddechreuodd *sniper* saethu tuag ata i o ochr draw'r parc.

Maen nhw'n dweud, os wyt ti'n clywed *fizz* bwled ar draw uchel, mae'r fwled yna lai na thri metr oddi wrthot ti. Wrth wrando'n ôl ar y recordiad sy gyda fi o'r diwrnod 'ny, mae'r sain yn glir.

Meddylia am hynna.

Ro'n i'n meddwl bo' ni tua 200 metr y tu ôl i'r llinell flaen, ond do'n ni ddim.

Roedd 'na fecanic ifanc o'n i newydd fod yn siarad â fe – tua pymtheg oed oedd e. Cafodd e 'i saethu dair gwaith yn ei gefn. Er i feddygon geisio'i achub e, doedd dim gobaith iddo fe.

Ro'n i yn Sirte ym mis Hydref 2011 gan taw'r ddinas

honno oedd yr olaf yn Libya oedd yn dal i gefnogi Gaddafi.

Os edrychi di ar Libya, mae fel Bae Ceredigion, ond wedi troi ar ei ochr. Mae Sirte yn debyg i Aberystwyth, wedi'i leoli reit ynghanol y bae anferth yma, hanner ffordd rhwng y brifddinas, Tripoli, a Benghazi, lle dechreuodd y chwyldro yn 2010. Roedd Sirte yn bwysig, gan taw o fan'na roedd llwyth Gaddafi yn dod. Roedd e wedi ffafrio'r ddinas dros bobman arall gan wario llawer iawn o arian yna – i sicrhau addysg, gofal iechyd a swyddi da i'r bobl leol.

Fel gohebydd y Dwyrain Canol i'r BBC ar y pryd, ro'n i'n byw ac yn gweithio yn Jerwsalem. Roedd y Gwanwyn Arabaidd wedi dechrau yn Tunisia ac wedi lledu drwy wledydd y Dwyrain Canol, ac un unben ar ôl y llall yn dymchwel fel stac o ddominos. Ro'n i a'r gohebwyr eraill wedi symud o un chwyldro i'r nesaf, o wlad i wlad.

Pan ddaeth tro Libya, ro'n i'n gwybod y byddai pethau'n wahanol. Ro'n i'n gwybod bod llywodraeth Gaddafi yn llawer mwy treisgar. Doedd dim gwasg rydd a dim hawliau sylfaenol gan y bobl. Yn yr Aifft, lle cwympodd Hosni Mubarak, roedd hawl gan bobl i brotestio o leiaf. Ond yn Libya, roedd hi'n anghyfreithlon i feirniadu'r llywodraeth a doedd dim hawl pleidleisio hyd yn oed.

Byddai trechu Gaddafi yn fwy o frwydr i'w wrthwynebwyr.

Pan ddechreuodd y gwrthryfel ym mis Chwefror 2011

fe lifodd llawer o'r *diaspora* yn ôl i Libya – pobl oedd wedi diengyd flynyddoedd ynghynt. Roedden nhw eisiau helpu'r ymdrech i gael gwared ar Gaddafi. Roedd Libiaid o Baris, Manceinion, Dulyn, a rhai o Gaerdydd yn eu plith – un meddyg oedd wedi bod yn help mawr i fi.

Ond nid tan i NATO ymyrryd y daeth trobwynt yn y rhyfel. Cyn hynny, doedd dim llawer o obaith gan y gwrthryfelwyr.

Tan yn ddiweddar, ro'n i wedi bod yn gohebu yn Tripoli. Dyna lle'r oedd Gaddafi wedi bod yn llochesu rhag bomiau NATO. Roedd hi wedi bod yn wythnos beryglus iawn yn y ddinas honno, a finne wedi bod yn gohebu ar y brwydro bob dydd. Ond wedi i'w *compound* e gael ei ddinistrio, fe ddiflannodd Gaddafi i rywle drwy'r rhwydwaith o dwneli tanddaearol dan Tripoli. Doedd neb yn siŵr iawn bryd hynny lle'r oedd e.

Gwpwl o wythnosau wedi diflaniad Gaddafi dechreuodd y brwydro yn Sirte. Felly, dyna i ble es i.

Roedd hi'n sefyllfa dyngedfennol o safbwynt y rhyfel. Ro'n i'n mynd i lawr i'r ffrynt bron bob dydd. Ond y gwir oedd fod y gwrthryfelwyr yn erbyn Gaddafi yn anhrefnus iawn. Doedden nhw ddim yn cydsymud fel y dylai byddin ei wneud. A doedd y rheng flaen ddim lle o'ch chi'n meddwl ei bod hi bob amser…

A dyna beth sylweddolais i yn rhy hwyr y diwrnod hwnnw.

Heb i ni wybod, beth oedd yn digwydd gyda'r nos oedd bod y gwrthryfelwyr yn tynnu 'nôl yn rhy bell. Do'n nhw ddim yn gadael milwyr ar y ffrynt i gadw meddiant o'r tir ro'n nhw wedi'i ennill y diwrnod 'ny. Erbyn y bore, roedd byddin Gaddafi'n lot mwy agos nag ro'n i'n ei ddisgwyl.

Felly, dyna lle ro'n i'n eistedd gyda fy helmed a siaced *bullet-proof* mlaen ac ro'n i'n teimlo'n ddiogel – pan ddechreuodd *machine gun* saethu tuag ata i a'r criw.

Y gwir yw, pan ddechreuodd y saethu, ro'n i wedi tynnu fy helmed bant er mwyn paratoi i ohebu'n fyw i lawr y lein i Lundain. Ro'n i newydd roi fy mhishyn clust i mewn yn barod i glywed y cynhyrchydd yn y stiwdio. Roedd y cynhyrchydd oedd yn gweithio gyda fi – Firle Davies – roedd hi newydd dynnu ei helmed i ffwrdd hefyd er mwyn sefydlu'r cyswllt â Llundain. Davies arall oedd y trydydd oedd gyda ni – Phil Davies, dyn camera o fiwro'r BBC yn Affrica. Roedd e newydd ddechrau ffilmio pan ddechreuodd yr holl ffwdan, a dyna sut roedd lluniau gyda ni o'r cyfan ar gyfer yr adroddiad teledu'r noson 'ny.

Beth dwi'n cofio yw cuddio o dan y car 'ma oedd gyda ni – *jeep* oedd e. Roedd bwledi yn taro pobman ac roedd y sŵn yn fyddarol. Roedd banc bach o dywod ar fy mwys i, lle gorweddai'r dyn camera ar ei gefn odano fe yn ffilmio popeth.

Ond nid beth ddigwyddodd i ni oedd canolbwynt fy adroddiad y diwrnod hwnnw. Wrth gwrs, roedd rhaid i fi sôn am beth ddigwyddodd i ni, ond y stori oedd anhrefn y brwydro yn Sirte. Es i'r ysbyty maes lleol ar ôl i'r saethu gwpla, a holi un o'r swyddogion oedd wedi cyfaddef bod y gwrthryfelwyr yn araf iawn yn ennill tir.

Efallai i'n hadroddiad ni ddangos pa mor *chaotic* oedd popeth.

Dwi'n aml yn meddwl am fy nghyfnod i'n gohebu yn Libya.

Weithiau dwi'n dihuno yng nghanol nos ar ôl cael hunllefau.

Jyst cyn yr ymosodiad yna yn Sirte, ro'n i wedi bod yn aros yn nhŷ teulu oedd wedi bod ar ochr Gaddafi. Ro'n nhw wedi diflannu ac roedd criw o ryw bum deg o wrthryfelwyr wedi meddiannu'r tŷ a rhoi stafell i ni'r gohebwyr. Un diwrnod, daeth un o'r bois ifanc i mewn o'r ardd yn chwifio dryll yn ei law.

"Look, look," medde fe. "Fi 'di ffindo gwn!"

Beth oedd pobl yn tueddu i neud yn Libya cyn iddyn nhw ffoi oedd claddu pethau yn yr ardd. Ro'n nhw'n claddu unrhyw beth oedd yn werthfawr, pethau fel mwclis, arian, gynnau – popeth. Eu gobaith nhw oedd y byddai popeth yn dal yno pan fydden nhw'n dod 'nôl.

Ond roedd y boi 'ma wedi dod o hyd i'r trysor, ac wedi

dod â'r gwn du, newydd sbon i mewn i'r tŷ yn gyffro i gyd.

"Wow, wow, bydd yn ofalus," dwedes i wrtho fe. "Rho fe lawr, ma gwn 'da ti!"

"Na na, paid â becso," meddai fe. "Dwi 'di tynnu'r bwledi mas."

Roedd e wedi tynnu'r *magazine* – oedd yn storio'r bwledi – mas, a nawr roedd e'n pwyntio'r gwn reit yn fy wyneb i.

Tynnodd e'r *trigger.*

Ond beth nad oedd e wedi sylweddoli oedd bod bwled ar ôl yn y siambr.

Roedd e'n sefyll lai na metr oddi wrtha i, a daeth y fwled mas. Fe deimles i hi'n hedfan heibio 'nghlust i, a bennodd y bwled lan yn y wal tu ôl i fi.

Roedd y boi bron â'n lladd i... Ro'n i'n hollol syfrdan. Dim geiriau o gwbl! Ond roedd y Libiad ifanc 'ma yn cwympo ar hyd y llawr yn chwerthin, yn meddwl bod yr holl beth yn ddoniol!

Mae meddwl am hynna'n rhoi ias i fi. Weithiau, dwi'n dihuno yn y nos yn meddwl beth fyddai wedi digwydd tasai'r fwled yna wedi bod hanner modfedd i'r dde.

Basen i wedi cael fy lladd.

Roedd gohebu yn Libya yn anodd. Dwi'n cofio mynd 'nôl yn 2012, yn y cyfnod wedi marwolaeth Gaddafi, pan oedd teimlad o ffydd y byddai pethau'n gwella. Roedd etholiadau ar draws y wlad a phobl yn dechrau sylweddoli beth oedd wedi digwydd dan arweiniad yr unben.

Dwi'n cofio siarad ag un dyn oedrannus oedd wedi colli pump o'i feibion yr un diwrnod. Fe ddangosodd e luniau o bob un ohonyn nhw i fi – dynion ifanc smart, pob un wedi graddio o'r brifysgol. Roedd e mor falch ohonyn nhw, ond cafon nhw i gyd eu cipio gan fyddin Gaddafi. Welodd e mohonyn nhw fyth wedyn. Roedd e'n eistedd y tu fas i'w dŷ yn gobeithio y bydden nhw'n dod 'nôl. Ond ro'n i'n gwybod eu bod nhw wedi cael eu lladd. Cafodd cannoedd, miloedd o bobl eu lladd gan Gaddafi, jyst am fod yn ei erbyn e. Roedd y fyddin yn bwrw i lawr yn galed iawn yn erbyn unrhyw fath o brotestwyr.

Dyna oedd un o'r straeon mwyaf trist i fi ei hadrodd – am y bobl oedd ddim yn gwybod beth oedd wedi digwydd i'w brawd, i'w tad neu i'w plant nhw. Ro'n nhw wedi cael eu cipio, oedden, ond wedyn, doedd dim syniad gan eu hanwyliaid beth oedd wedi digwydd. Ro'n nhw'n rhoi eu gwaed i'r Groes Goch er mwyn ei gymharu â gwaed pobl yn y beddau lle'r oedd cyrff wedi cael eu pentyrru.

Mae'n anodd delio â thrawma, fel gweld cyrff wedi cael eu claddu. Dwi'n cofio un waith, reit ynghanol yr ymladd, ro'n i wedi clywed bod rhywbeth yn mynd mlaen mewn ysbyty. Roedd yr holl feddygon a phawb wedi gadael gan fod yr ymladd yn rhy agos. Fe gyrhaeddes i, ac roedd tua 200 o gyrff yna, yn gorwedd tu fas i'r ysbyty. Roedd pobl jyst wedi cael eu dympio, ac roedd y drewdod yn anhygoel. Dwi erioed wedi gweld unrhyw beth tebyg.

Fi oedd y cyntaf yna, ac ro'n ni wrthi'n ffilmio, ond chi'n ffaelu ffilmio popeth mewn sefyllfa fel'na. Felly ro'n i'n sefyll o flaen yr ysbyty yn gohebu, yn ceisio egluro beth oedd wedi digwydd. Ro'n i'n esbonio sut roedd pobl wedi cludo ffrindiau neu berthnasau oedd wedi cael eu hanafu yn y rhyfel, dim ond i weld bod yr ysbyty'n wag. Doedd unman arall gyda nhw i fynd i gael help, felly ro'n nhw wedi gadael eu ffrindiau yma i farw.

Ro'n i yno am oriau, a dwi'n cofio gohebwyr eraill yn cyrraedd. Daeth tri Ffrancwr ifanc oedd yn *photojournalists*. Ro'n nhw'n gyffrous iawn wrth weld yr olygfa a rhedon nhw i mewn i dynnu lluniau. Tua dwy funud wedyn daethon nhw mas a jyst hwdu dros bob man. Do'n nhw ddim wedi disgwyl beth welon nhw. Roedd gwaed ym mhobman ac roedd hi mor boeth hefyd. Mae tymheredd uchel yn neud y pethau mwyaf anhygoel i gyrff.

Weles i feddau lle'r oedd degau o gyrff wedi cael eu pentyrru – protestwyr oedd wedi cael eu saethu'n farw. A dweud y gwir, roedd un llecyn lle'r oedd dwsinau, os nad cannoedd, wedi cael eu lladd y tu ôl i westy'r Rixos yn Tripoli lle ro'n i a'r gohebwyr rhyngwladol eraill wedi bod yn aros. Ro'n i'n gwybod bod rhywbeth yn mynd mlaen yna gan ein bod ni i gyd wedi clywed saethu yn ystod y nos. A dyma'r gwesty lle'r oedd Gaddafi wedi ein gosod ni i gyd yn Tripoli.

Flwyddyn wedyn es i 'nôl yno a ffeindio mas bod dwsinau, falle cannoedd, o bobl wedi cael eu lladd tra oedden ni yna. Protestwyr wedi cael eu saethu yn eu pennau, a'u cyrff wedi cael eu gadael yna. Weles i fideo erchyll o gyrff wedi cael eu gadael i bydru yn yr haul.

Roedd hyn i gyd wedi mynd mlaen dan ein trwynau ni...

Felly, chi'n gweld y pethau afiach 'ma, yn mynd 'nôl i'r gwesty, yn sgwennu'ch adroddiad, neud pecyn teledu a neud pecyn radio... Yna chi'n trio cysgu... Ond ry'ch chi wedi gweld pethau difrifol. Mae'n anodd iawn gadael i hynna fynd. Mae'n effeithio arnot ti! Ti'n siarad amdano fe gyda ffrindiau a chyd-weithwyr, ond mae'n rhaid mynd mlaen i'r stori nesa. Mae'n anodd iawn delio gyda fe, ac o'n, ro'n i'n dioddef.

Ro'n i'n mynd adre wedyn i Jerwsalem. Ond do'n i ddim yn siarad â Becky, fy ngwraig, na 'nheulu am y peth. Roedd bywydau gwahanol gyda nhw. Do'n i ddim eisiau trafod y peth. Ro'n i'n mynd 'nôl i Israel i ymlacio, i fynd i'r traeth neu i chwarae pêl-droed gyda'n ffrindiau i. Do'n i ddim yn mynd 'nôl i ddelio gyda phopeth ro'n i wedi bod trwyddo. Ond mae siarad amdano yn helpu, a dwi'n gallu siarad amdano fe gyda'r newyddiadurwyr eraill oedd yna gyda fi...

Ar ôl cwpla fy nghyfnod yn y Dwyrain Canol ro'n i'n barod i fynd i rywle tawelach, rhywle saffach. Ond fel mae'n digwydd, nid fel'na fuodd hi.

Bues i'n agos at farwolaeth unwaith eto fel gohebydd i'r BBC yn Ne America – yn Rio y tro 'ma. Ro'n i'n gohebu ar brotest yn erbyn Cwpan y Byd pan aeth pethau'n beryglus. Roedd gwrthwynebiad mawr yn lleol i'r ffaith bod y llywodraeth a FIFA yn gwario cymaint ar y gemau, tra bod tlodi mawr yn y *favelas* a diffygion ym myd addysg ac iechyd i bobl dlawd y ddinas.

Yn sydyn aeth pethau'n sang-di-fang. Ro'n i wedi mynd i mewn i'r brotest gyda'r protestwyr, ond roedd heddlu arfog wedi dod i geisio gwasgaru'r dorf. Roedd hyn reit ynghanol dinas Rio de Janeiro – ac roedd bomiau nwy yn ffrwydro a *stun grenades* yn cael eu taflu o'n cwmpas ni. Roedd pawb wedi cymysgu ac roedd hi'n beryglus.

Wrth i ni ffilmio tu fas i orsaf Rio, ffrwydrodd grenâd reit wrth ein pwys ni. Holl bwynt y grenadau 'ma yw eu bod nhw'n effeithio ar dy glyw di – roedd e'n hollol ddychrynllyd. Roedd Santiago Andrade, newyddiadurwr lleol, yn sefyll i'r chwith i fi a chwympodd e i'r llawr. Roedd y grenâd wedi chwythu twll yng nghefn ei ben – twll tua dau gentimetr – a dechreuodd y gwaed lifo i bobman.

Rhoddodd Chuck Tayman, y dyn camera, ei offer i lawr ond roedd e'n dal i ffilmio. A dyna ble ro'n i'n trio achub bywyd y dyn 'ma do'n i erioed wedi cwrdd ag e o'r blaen. Yn sydyn, daeth yr heddlu aton ni; gwthiodd un ohonyn nhw wn i 'ngwyneb i ac arthio arna i symud o'r ffordd. Wedes i wrtho fe 'mod i'n trio achub bywyd y dyn.

Tynnodd Chuck ei grys a stwffies i fe i anaf y boi achos o'dd e mor fawr! Ro'n i'n gweud wrth yr heddlu bod rhaid iddyn nhw fynd â'r dyn i'r ysbyty achos bod e'n marw.

Sai'n gwybod pwy oedd wedi twlu'r grenâd – rhyw fath o dân gwyllt anferth oedd e – ond doedd dim ots, achos roedd dyn nawr ar fin marw. Yn y diwedd daeth yr heddlu â *jeep* mawr a jwmpes i mewn gyda'r boi a chyrraedd yr ysbyty o fewn chwe munud.

Dwi'n cofio tynnu llun o'n hunan wedyn, ac ro'n i'n waed drosta i i gyd. Ei waed e. Roedd e ym mhobman.

Yn anffodus, buodd Santiago farw ddeuddydd wedi 'ny.

Ro'n i wedi gadael y Dwyrain Canol, a mynd i Frasil i ddianc rhag digwyddiadau erchyll rhyfel, ond roedd e'n digwydd eto…

Ond dwi'n gwybod yr elen i i ohebu ar ryfel eto. Dwi ddim yn *addicted* – ddim fel rhai pobl – ond dwi'n hoffi mynd. Y gwahaniaeth yw, os y'ch chi'n mynd i lawr i'r ffrynt, bod rhaid i chi ofyn i'ch hunan bob dydd pam y'ch chi'n ei neud e. Dy'ch chi ddim yn mynd achos bo' chi moyn. Does dim pwynt rhoi'ch hunan mewn perygl os nad oes rheswm da i chi neud.

Ond y gwir yw fase dim ots gyda fi fynd i ohebu i ryfel eto, hyd yn oed nawr, ar ôl bod trwy'r holl brofiadau a allai beryglu bywyd. Does dim llawer o ohebwyr yn y BBC sydd â'r profiad sydd gyda fi. Dwi'n gwybod shwt i neud e. Does dim ofn arna i os dwi'n mynd i'r ffrynt nac os dwi'n gweld pobl yn ymladd. Mae help gyda ni. Mae swyddogion diogelwch i'n cadw ni'n saff.

Hyd yn oed nawr, petai cyfle i fi fynd 'nôl i'r Dwyrain Canol, i Affrica neu i Dde America i ohebu ar ryfel, bysen i'n ddigon hapus i neud.

Y Gohebwyr

Aled Huw

Gohebydd gyda'r BBC yw Aled Huw. O Gaerfyrddin yn wreiddiol, aeth i Rydychen a Llundain cyn ymuno â BBC Cymru. Bu'n dyst i rai o brif ddigwyddiadau rhyngwladol y tri degawd diwethaf. Bu'n darlithio yn Ysgol Newyddiaduraeth, Cyfryngau a Diwylliant, Prifysgol Caerdydd, cyflwynodd y *Post Prynhawn* ar BBC Radio Cymru drwy'r pandemig, ac roedd yn flaenllaw ar wasanaethau darlledu BBC Cymru adeg marwolaeth y Frenhines. Mae'n briod ag Alison, ac yn dad i ddau o blant.

Betsan Powys

Cyn-Olygydd BBC Radio Cymru a chyn-Olygydd Gwleidyddol BBC Cymru, mae wedi gweithio am flynyddoedd fel gohebydd i raglen *Newyddion* y BBC, yn brif ohebydd *Week In, Week Out* ac yn un o dîm *Y Byd ar Bedwar*. Y tu hwnt i Gymru bu'n ohebydd i *Panorama* a rhaglenni rhwydwaith y BBC. Ers iddi adael y gorfforaeth, mae wedi bod yn gweithio ar amryw o raglenni materion cyfoes, yn cyflwyno *Mastermind Cymru* a *Pawb a'i Farn*. Mae hefyd wedi sgrifennu a chyflwyno podlediad *Drowned: The Flooding of a Village* i BBC Sounds.

Bethan Kilfoil

Mae Bethan Kilfoil yn Olygydd Newyddion i RTE yn Iwerddon erbyn hyn. Cyn hynny bu'n gohebu ar ran BBC Cymru o Lundain a Brwsel, gan ymddangos yn rheolaidd ar raglenni newyddion S4C a BBC Radio Cymru.

Bethan Rhys Roberts

Yn wreiddiol o Fangor, bu Bethan yn gohebu i BBC Cymru ac yna i'r BBC World Service am ddeng mlynedd yn Llundain. Ar ôl dychwelyd i Gymru i gyflwyno *Good Morning Wales* i BBC Radio Wales, mae bellach yn un o brif gyflwynwyr rhaglen *Newyddion S4C* a *Wales Live*, ac wedi teithio ar draws y byd yn gohebu.

Ciaran Jenkins

Dechreuodd Ciaran greu argraff yn ei yrfa fel gohebydd addysg i BBC Cymru. Ar ôl ennill gwobrau am ei waith aeth ymlaen i weithio i *Channel 4 News*, ac ennill rhagor o wobrau fel gohebydd yr Alban. Mae'n adnabyddus am ei steil heriol o holi gwleidyddion ac mae bellach yn un o dîm cyflwyno newyddion Channel Four. Mae'n dad i fachgen a merch fach.

Guto Harri

Bu Guto Harri yn gohebu ar ran y BBC am 18 mlynedd gan ymddangos ar ein sgriniau'n ddyddiol fel prif ohebydd gwleidyddol i raglenni rhwydwaith y BBC. Ar ôl gadael y gorfforaeth aeth i weithio fel cyfarwyddwr materion allanol Maer Llundain, Boris Johnson. Ar ôl rhoi ei droed yn ôl ym myd newyddiaduraeth a chyfathrebu ar raglen *Y Byd yn ei Le* i S4C a *GB News* aeth yn ôl i weithio i'w hen fòs, oedd erbyn hynny yn Stryd Downing, cyn gadael y swydd ym mis Medi 2022.

Gwyn Loader

Un fu'n cydweithio â Sian Morgan Lloyd ar *Y Byd ar Bedwar* yw Gwyn. Dyna lle hogodd ei sgiliau ymchwiliol cyn symud i fod yn Brif Ohebydd i dîm *Newyddion S4C*. Mae Gwyn yn dal i dorri straeon newydd i'r BBC, ac yn gweithio ar raglenni materion cyfoes yn achlysurol hefyd.

Maxine Hughes

Wedi cyfnod o gynhyrchu gyda thîm newyddion rhwydwaith y BBC, fe symudodd Maxine Hughes i Istanbul i helpu i sefydlu gwasanaeth newyddion newydd TRT World. Oddi yno fe symudodd i America i sefydlu biwro'r gwasanaeth yno. Erbyn hyn mae'n cynhyrchu rhaglenni dogfen, gan ymddiddori'n fawr yng ngharfanau rhanedig America. Mae hefyd yn cyfieithu i'r sêr Hollywood Ryan

Reynolds a Rob McElhenney yn ei hamser sbâr, ac mae'n enwog am ei rhan yn y gyfres *Welcome to Wrexham*. Ond newyddiaduraeth yw ei chariad cyntaf o hyd!

Sian Lloyd

Ar ôl dechrau yn adran newyddion BBC Cymru, daeth Sian yn un o brif ohebwyr rhaglenni rhwydwaith y BBC, gan ohebu o ganolbarth Lloegr ac yna o Gymru. Bu'n cyflwyno *BBC Breakfast* a *Crimewatch Roadshow* am gyfnod hefyd. Mae bellach yn gweithio'n llawrydd gan gyflwyno rhaglenni ffeithiol i S4C a darlledwyr eraill.

Sian Morgan Lloyd

Rhaglenni materion cyfoes yw arbenigedd Sian, ar ôl blynyddoedd fel rhan o dîm *Y Byd ar Bedwar* ITV i S4C. Bu'n Ddirprwy Olygydd yno cyn symud at y dasg o ysbrydoli a hyfforddi'r genhedlaeth nesaf o newyddiadurwyr. Mae hi bellach yn Uwch-ddarlithydd yn Ysgol Newyddiaduraeth, y Cyfryngau a Diwylliant, Prifysgol Caerdydd, ac yn parhau i weithio ar raglenni materion cyfoes yn ogystal.

Sion Tecwyn

Bellach wedi gadael y BBC, roedd Sion Tecwyn yn newyddiadurwr am 40 mlynedd. Ar ôl cyfnod ar babur newydd yr *Herald* yn y gogledd, bu'n ohebydd ardal Gwynedd a Môn i adran newyddion BBC Cymru am ddegawdau. Daeth i adnabod y bobl, a dal ati ar straeon roedd eraill yn eu hanwybyddu, gan helpu i arwain at ddatgelu un o sgandalau mwyaf y system gyfiawnder yn y Deyrnas Gyfunol.

Wyre Davies

Wedi gohebu i'r BBC yn y Dwyrain Canol ac yn Ne America, mae Wyre yn ôl yng Nghymru ac yn gweithio fel rhan o dîm *Wales Investigates*. Un o'i sgŵps diweddaraf yw'r stori am anghydraddoldeb yn erbyn menywod yn Undeb Rygbi Cymru. Mae'n dad i bedwar o blant.

Hefyd o'r Lolfa:

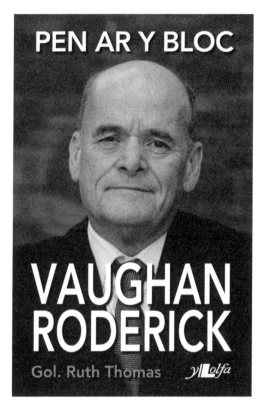

£14.99

£9.99

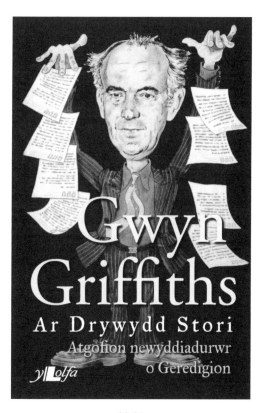

Gwyn Griffiths

Ar Drywydd Stori

Atgofion newyddiadurwr
o Geredigion

y Lolfa

£9.95